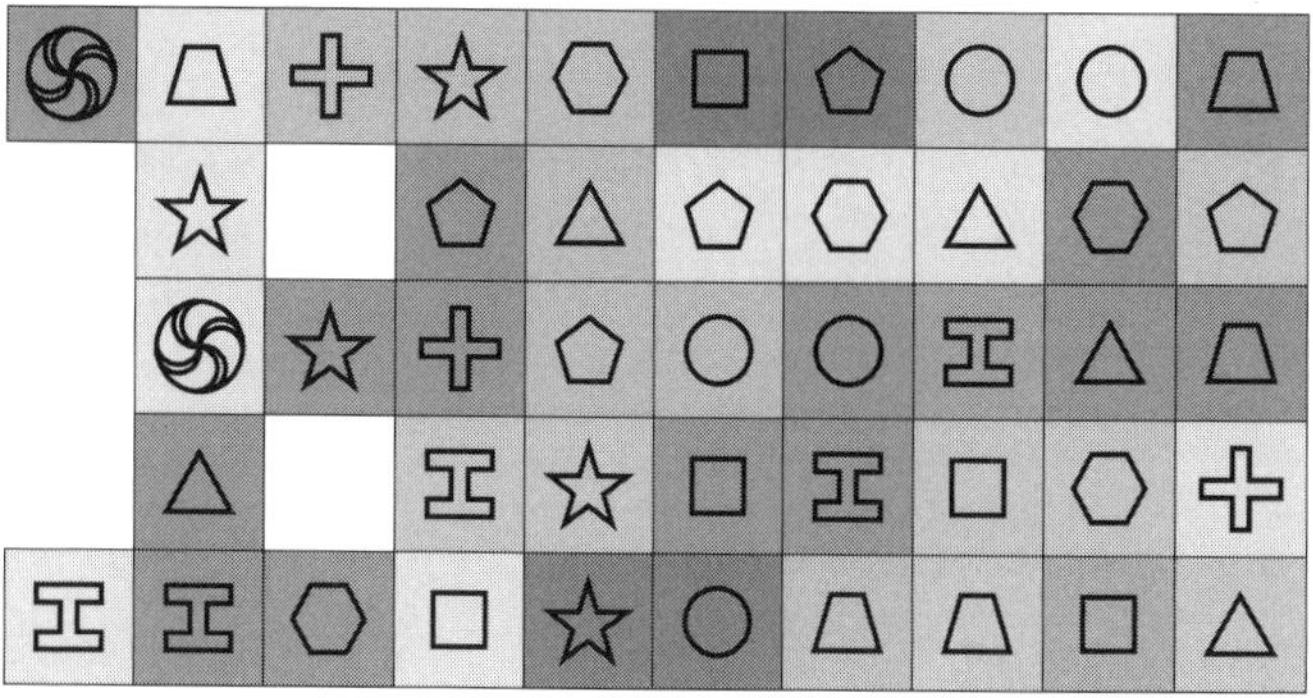

純粋韻律

安本 達弥
YASUMOTO Tatsuya

文芸社

まえがき

本作品は、齢《よわい》五十余年に及ぶ私個人の、自叙伝的随想にして、かつ手作り風な文化芸術論でもある。

どちらが主題か？　と問われたならば、読む角度によっては、すべてが芸術論となり、はたまた随想になる、と、お答えしたい。

過去半生を、世の人々にあれこれ知って貰わねばならぬ程、己が大人物でないにも拘《かかわ》らず――こういう形にせざるを得なかった――。


学校時代、初め頃、「詩」という芸術分野の存在に、中々理解し難い思いが強かった。

人名事典を読むのがとても大好き。確か母の古い持ち物だった女学生向け雑誌の付録らしい「人名事典」が、身近な本棚に置かれていた。

決して分厚くない大きめの新書サイズ。何度も何度も読み返し、各ページに刷り込まれた写真や似顔絵の人物達と、友達になる心地を味わえるのだった。

内、名前や実績が残る職業を紹介する冒頭欄で「詩人」が交《ま》じる度、どうも腑に落ちなかった。

例えばゲーテは「詩人・小説家」だし、宮沢賢治は「詩人・童話作家」と紹介される。

「小説家」は、何となく分かる。要するに物語作家の一種だ。

中でも、大人しか営めないような生活世界が色濃く描かれているもの——と、大体割り切れる。なぜなら、片や「子供が楽しむための物語世界」を前提に書かれた童話ジャンルは、既にお馴染みだったから。

ところが、「詩」と来れば思い浮かぶのは、国語教科書や校内文集で見られる、あのやたら気負った思わせぶりな短文でしかない。

あんな〝単文章〟を沢山書くだけで、小説家や童話作家に匹敵する程、偉くなれる理由は？……

正直、詩そのものの正体すら掴めぬまま過ごしたが、青年期の或る時、雑学解説書で、「詩は音楽である」という記述に触れて以来、段々、解釈の縺《もつ》れがほどけ始めたのだ。

これは、成人し、壮年となり、五十歳を過ぎた今現在、尚ほどけ切っていない。しかし最近——ここ二十年間位——私は、子供時分と全く異なる観点から、より新しい認識が育ってきたように思える。即ち詩は、

「文学・音楽の交わりから生まれた子——両者の境目を保つ営み」——

どうやら最初から正真正銘「複合芸術」だったらしい。

「照葉樹林文化論」で知られる故中尾佐助博士は哲学者・上山春平氏他との対談シンポジウム『稲作文化』（中公新書）にて、

「私は、文化というものは必ず複合で見る発想」

と語っておられるが、芸術文化の成り立ちも、じっくり確かめるならそういった側面を、必ずや見つけられるだろう。

以下、私の知力をできる限り結集し、「詩」起源論の謎を、順次解き明かしてみたいと思う。

目次

純粋韻律

第一部　詩の起源

1

先ず、読者方々もご存知に違いない名高い漢詩を、愛読書から一作選び、鑑賞しながら本章の幕開けとしたい。

今、私の手元に有るのは、高校生向けの「漢文」参考書。

丁度開いたページに、「葡萄《ぶどう》美酒夜光杯」で始まる「涼州詞《りょうしゅうし》」(作―王翰《おうかん》)が載っている。

昔、高校入学時、真新しい漢文教科書を貰って開けた時、初めてこの同じ詩に出会った事が思い出せる。

詩作品紹介の順序は、漢字七文字が四行連なる原文の次に、「葡萄の美酒、夜光の杯」と、送りがなを付けた「書《か》き下《くだ》し文」、それから現代語訳へ移る。

「涼州」とは、現代中国の甘粛省《カンスー》に属する地名。王翰は中世初期――唐時代の詩人。

チベット高原やタクラマカン大砂漠を背後に控えた〝西域玄関口〟とも言える交通の要衝――蘭州あたりが、丁度同じ圏内か。

都心からかなり遠い街道沿いで、ささやかな宴に興じる人々の姿が、先ず思い浮かぶ。避暑棚を被《おお》い尽くし、あちこち実を生《な》らせたブドウの群落。空気澄み渡り、もしや今、昼間なのか？　と間違う程、くっきりきつい月明かりに、その多く垂れ下がる房や蔓草《つるくさ》が影を刻む。

月光は広い木製縁台をも、斜めから照らし上げ、汲み交わされる瑠璃《るり》（ガラス）杯のブドウ酒が鮮やかに透き通る——。

読み始めた最初二行のみで、私は、半東洋・半西域のエキゾチックな香り高さを満喫できる。

三、四行目、もてなされる宴客は、これから戦地へ向かう友人達——という惜別場面となり、リアルな題材が顔を覗かせるが、それら時代背景の厳しさも、まるで辛口ワイン味のように全体を引き締めながら、詩情に吸収されてしまう。

ここでは一詩作品として、原文の他、書き下し文、現代語訳が添えてある。

同じ漢字文化圏ながら我々日本人には、こうされていてようやく、自然に鑑賞できる。ともすれば二段目の「書き下し文」を覚えて満足しがちだが、これは日本人が、日本人に読めるよう少し改造した産物。但し、語順のみ替えた詩文そのものである事は疑いない。

「現代語訳」——これは、もう「詩に在って、詩に非《あら》ず」と考える他無いだろう。

尤《もっと》も、「散文詩」扱いで受け取れる読み手がいるかも知れない。それ位格調高い名訳文ならば、今度は原文の値打ちが霞みかねない。

議論の余地も有ろうが、私は、漢詩集を編纂する場合に限り、書き下し文は、もう不用でないかと思う。なぜなら、只読み易くするだけの「和装」で、翻訳になっておらず、他方、詩の味わいが遠ざけられる。

現行の二重構造よりも、なるべく正確な「訳詩」を一編添えたら事足りるだろう。無論、珍しい文字・用語や固有名詞への注釈は、詳しい方がいい。


ところで、詩人・王翰がこの作品で、一体何を描きたかったか――真意のところは実際、当人以外、誰も知り得ない話である。

既に何万編もの唐詩を読みこなし、中国文化全般で国民の生活思想や歴史観に明るい専門家なら、その教養深さ故に、正しく把握できる――とも思えない。

幾つか推測してみよう。

・作者は、オアシス風野外食卓で、ついつい杯《さかずき》が進んだブドウ酒に、心身共魅せられ、その豊潤極まる味わいを、美しい詩に仕立てたかった。
・今後、再び親友と会えないかも知れない水杯のような辛《つら》い別離を、せめて詩中ではブドウ酒の豊潤な香りによって飾り、色付け、自ら慰める体裁とした。
・青春の出来事のようにデリケートで甘酸っぱく、どこか切羽詰まった緊張をも伴う個人的心境を、「戦争による別離」という架空の題材設定で、詩句表現した。

etc.——

詩人が作品を通じ、読者へ伝えたい事柄の範囲は、どれ位か？　もし右に並べたいずれであってもなくても、その中身を、「詩情」の一言で括《くく》れないだろうか。

即ち或る場所、或る時、作品を書きたくてたまらなくさせる各詩人固有の気持ち、感覚、捉え方等を指す。

今度は、模擬例を使って考える。

——或る男性詩人が、野原を散歩中、過去見た事も無い強烈な夕焼けに出会い、詩心を深く刺激されたとする。

彼は、朱《あか》く神々《こうごう》しい夕陽をたっぷり浴び、樹液の如く全身から滲み出る心地の、響き良い詩句を自ずと口にしている。

この時点で、即興詩「夕焼け」は、完成を保証されたも同然。早速、ポケットから取り出した手帳へ、閃《ひらめ》く端から次々、一語漏らさず記していく。

十数行分まとまったところで、それら文章配列や文字選びに今一度、彼ならではの洗練を施せば出来上がり——創作自体は、毎度似たパターンが繰り返される。

ところが、ずっと後年、たまたま本屋の棚から取り出した『現代名詩選』に、例の自作を見つけ、詩人は奇妙な幻滅を抱いてしまった。

確かに、最近珍しく興奮させられた「夕焼け」創作だった。原稿仕上がり後、いつ読み返しても題材の鮮やか過ぎる夕陽が、文面から透けて再現されそうだったのに、こうして他作家の詩群と仲良く並べられた結果、趣《おもむき》も全く異なる。正直、あの素晴らしい午後を、中々思い出せない。

それもその筈――彼は、深い感動故、有りきたりな風景描写だと全然物足らず、心理状態をすべて、移ろい易くも激しい少年少女の大恋愛場面に置き換え、会話調で詩作したのだった。

半ば「青春の黄昏《たそがれ》」とでも呼べる切ない独白展開だろう。会心の一作はあくまで文面を重んじた編集で、「恋愛詩集」に収められている。

作者自身が「いささか不本意」なら、創作当時、彼と行動を共にしなかった一般読者へ向け、その詩文から、感動的な夕焼けの追体験なぞは尚《なお》期待できない。

しかし、或る読者が何かの機会で、同作品を偶然読んだ際、個人的落胆を癒《い》やされるような心境へと転じれば、後々も記憶に留め置かれるだろうし、作者の願いは半ば叶《かな》えられた事になる。

大体、如何なる名詩も作者の自己評価と、読者の受け取りイメージに必ずズレが生じる事は当然である。一生涯として、両者の日常空間や精神構造は絶対同じじゃないのだから

――。

例えば、食卓のど真ん中に出された新しい瓶ビール一本の前で、向かい合う二人に感想を聞いてみよう。

一人が、それに関し、

「凝った動物模様の、極彩色ラベルがべったり貼られ、派手な体裁」

と答えるなら、片方もう一人は、

「黒っぽい茶色で、のっぺらぼうとした中型ガラス瓶。まだ美味しそうに冷えた中身を、早く飲みたい」

と答えるだろう。

細部隅々も確かめたら、見え方が凡そ別々。但し一つ、理解し、認め合える点は、

「そこに今、開栓された満タンの瓶ビールが一本有る」事実――。

少なくとも、そこまではっきりさせられれば上出来なのだ。

詩の鑑賞でも、似た事が言える。詩人が夕焼けに対し抱くものと同じ気持ちを、或る読み手は朝焼け時、強く催すかも知れない。

どちらが「まとも」か？　は、当事者達の生い立ちや価値観・体質等が影響する。

世に名高い傑作詩も大概、何らかの感動体験をきっかけに生まれ出ており、また、感動をそそられた具体的な事象が存在するものだ。

大切なのは、その事象内容よりも、感動の方である。

詩人が常日頃、心より溢《あふ》れさせる「感動エネルギー」が、たまたま散歩時、野原で浴びた神々《こうごう》しい夕焼けに反映し、傑作詩を生んだ、と考える方が真相に近く、詩人に感動をもたらすため、わざわざ、普段より特別美しい夕焼けが起きたりはしない。

感動エネルギー＝詩情は、詩人の心内宇宙を彷徨《さまよ》う霊魂のようなもので、今回、夕焼けと深く反応した事により「詩」として、この世に生を受けた事になる。

読み手側の姿勢こそ、実は大変重要。彼等が温かい受け止め方を守りつつ、様々な作家の詩を沢山読み、重んじる習慣を持てば、詩文化が明るく育つ土壌となるだろう。

最初から感動や名調子ばかり求めても、決して出合えるものでない。

むしろ、パッとしないけれど努力の跡が窺《うかが》える一品一品を、家族や友達同士紹介する等、応援してやるべきだ。

詩というものは触れれば触れる程、読み手の個人生活に根づき、愛着を花咲かせる。

尤も、えてしてこういう領域で、世間の狭い力関係が幅を利かせるケースは少なくなく、うんざりさせられる。

一詩作品に関し、それを贈られた相手が、殆ど内容理解できない場合——で、比べよう。

もし書き手は詩壇の大御所か、売れっ子新人、一方読み手は熱心な日曜詩人だったなら、読み手側が勉強不足を指摘され易く、また役どころが逆だったなら、「贈られたものは、書き手のみ『詩』のつもりでいる無用な作文」と、こき下ろされたりする。

用語・仮名遣い等の形式面で、教養の差が巧拙を分けてもおかしくないが、本来、詩の価値は、そうした次元を超えた方面で生かされる。

正直、所謂「名詩」の中でさえ、鼻持ちならない珍文・奇文の類はすぐ見出せるし、それが「熟慮の結果」——と納得できる例も少ない。

しかし、本屋で何冊か詩集を買い込み、寝る前等の暇な時間、ゆっくり手にすれば、不思議と寛《くつろ》いだ気分になれるものだ。

それは収録作品が「優れている」からではない。自分と直接には無関係でも、こうやって心のアンテナを自然・社会あらゆる事柄に張り巡らし、時々考え悩みながら、忙し過ぎる読者達へ向け、毎日頑張ってくれる人が居る——という仄《ほの》かな安心感。

むしろ、現在活躍する詩人だと、有名無名問わず、余計そんな風に感じる。

それ自体、立派な情報発信・代弁であり、次また、どんな発想や雰囲気の作品が登場するか、待つのも楽しみ。

読者一人一人へ向けた詩人の愛情を受け取れる気持ちは、なぜか相手がこちらよりずっと年下で、青臭い書き手である程、却って心強く、文体の未熟さなぞ、「読み手」に徹すれば全然口出しする気になれない。

学校教育でも小学生時代は、巧拙を一切問わず、とにかく詩を沢山読んで馴染ませ、また自らも思うまま書かせてやれる指導方針が望ましい。詩才は幼少時程、開花し易い、と聞き知った記憶が有る。

そういう場所から、いつか「詩大好き」の子供が育つものだ。

毎日鞄《かばん》内に忍ばせる誰それの名詩集が、

「自分も、あんな傑作を、どんどん発表できる人間になりたい」

と、憧《あこが》れた印《しるし》なら、日本文化の将来も明るい。

ポイントは「詩が好きな子供」であり、「詩作が巧い子供」と限らない。

各人の適性次第だが、スポーツ顔負けの一種英才教育めいた「鍛え」により詩才を高め、評価され、やがて全国コンクール優勝を目指す——ようなパターンは、虚栄心の悪循環でしかない。

「元々詩が嫌いだが、訓練で巧くなった」

よりも、

「下手だけれど、大好き」

の方が、余程マシだろう。

無論、用語や仮名遣いはじめ、文章表現技術の基礎を、国語教育面からしっかり充実されねばならないが、創作自体は心の営みであり、子供といえども個人領域内でこそ正しく成り立つ点を教えてやらねばならない。

賞狙いばかり求められ、義務的に書く作品だと、文章の体裁や題材選び、表現・展開等、たとえ非の打ち所無くても、そこに詩情が息づく余地は少ない。応募動機からして「作る喜び」と縁遠く、言わば「造花の園芸」を嗜《たしな》む趣だ。

子供は「遊び」と結びついた時、感性や能力も一番輝く事を、大人は、もっともっと顧《かえり》みてはいかがなものか――。


私が過去半生で、最も心打たれた詩は、宮沢賢治や中原中也でも、はたまたゲーテやハイネの訳詩でもない。

小学校六年生頃に読んだ薄っぺらい季刊校内文集の、ごくささやかな一編だった。

詳しい詩文も、作者児童の男女別も、今やおぼろげだが、当時、十分意識せぬまま長く覚えていた。筋書きを紹介すると、

――（男子なら）ややガキ大将気取り。やんちゃ坊主で人当たり良い元気な少年が、学校終了後、真っ先に一人飛び出し、小走りしつつ帰途を急ぐ。

胸中は、これから家で食べるお菓子や、玩具《おもちゃ》遊びでいっぱいだ。初夏らしい蒸せ返るような、晴れた昼下がり。

浮かれたまま自宅近くまで来たが、長い桜並木の下。何かしら嫌な予感が脳裏を掠《かす》め、全速力になる。

〈やられた！　……〉

赤・黄・緑等、彩り鮮やかな太い毛虫（芋虫？）が一本、首筋へのっかる。彼は気味悪さに、大慌《あわ》てで払い除け、落ちた相手が二度と木に這《は》い登れぬよう、ポンと強く踏みつける。

途端に毛虫の体は潰れ、中から緑色がかったどす黒い汁が流れ出る。傍の路面もべったり汚れる。

一難逃れた少年はなぜか、そこでしゃがみ込み、じいっと毛虫を見つめると、（体汁の表面にくっきり）空が映っていた――。

そんな内容である。

あくまで子供らしく、軽い言葉遣いで書かれていたその最終行を思い出す度、私は、今でも涙ぐむ心地になる。

「毛虫が可哀想だから」

と、同情する心理は、さ程でない。私だって、庭木を食い荒らす毛虫退治は躊躇《ためら》い無く、敵意さえ込め、殺虫スプレーで狙い撃つ。

にも拘らず――。

投稿詩作者である少年は、事の初め頃、普段通り、家族や友達と繰り広げる生活内容ばかり脳内に満ちていた。通学路上、出食わす桜並木の大毛虫なぞ、異界の化《ば》け物に等しい。そして或る日、とうとう〝化け物〟から好かれて（?）しまった。生軟らかさと、一部ゴツゴツ突き出た触感の多足体が、跳ねながら肌に貼り付く。

生理的不愉快この上無く、少年は考える間も置かず払い落とし、毛虫を潰《つぶ》してしまう。色模様の綺麗《きれい》さが却って異様な生体のみならず、それが破裂した死体ならば当然背を向け、一刻も早く忘れたい……。

ところがこの直後、彼は、表情から強張《こわば》りが取れ、絶対否定のおぞましい相手をしげしげ見つめ直す。黒々と濃い幼虫体液表面に映る、高く透き通った光。それらは、毛虫を踏み殺した自分をも、毎日見下ろし広がっている、あの同じ大空。

少年はどこかから、大切な事を知らされた、いや、気づかされたのだろう。罪の意識の芽生え？　罪とは、どんなものなのか。

また、生き物である以上、それを必ず背負って暮らす定めも。

もしかしたら、ドングリ拾いやセミ捕り等でお馴染みな雑木林の、ど真ん中に佇《たたず》むとても小さな沼を思い出したかも知れない。

――枝数多い樹々や、地面上へあちこち忙しく目を移らせる内、どんどん奥へ踏み込んでしまい、その岸辺まで来るといつも、しばらく足が止まった。

そこだけは不思議な静けさに淀み、晴れた午後を忘れる程、直射日光が遮《さえぎ》られ暗い中、沼の〝鏡面〟に映る青空も、虚《うつろ》なまで透けて白っぽく感じられる――。

毛虫の気味悪い外見イメージ↓皮膚にのっかったそれを踏み潰す最悪パターン↓弾け出る汚ない体汁、その液面――と、注意の先が次々移り変わる様は、身近な自然内に隠された何か「心」の部分と出合う驚きで満ちており、私は、それこそ「生きた詩情」に値する、と思わずにいられない。

彼が小さな出来事を、わざわざ「詩に作ろう」と考えた気持ちは誤りではなかった。


そもそも「詩」とは、如何なる芸術か？

子供時分、私は、詩との付き合い方が結構苦手だった。特別嫌う理由も無いが、中々読んだり書いたりする気になれない。取っ付きにくさだけは一級なのが、この分野である。

書物自体は好きな方で、童話や絵本、それに何より図鑑や百科事典を「日常の友」と呼べる位、繰り返し読み漁ったものだが、「詩」に関する記述は、全部飛ばし読んで過ぎ去る。

小学校の国語教材として、教科書に詩が登場しても、良い印象は持てなかった。大体、他章と比べ、ごく限られた文字・行数なのに、余白たっぷり一、二ページを独占する紙面構成がいただけない。

まるで名詩の前では、一冊丸ごと畏《かしこ》まり、殿様扱いするような気遣いムード。

「何様のつもりだ？」

と、しばしば問いたくなる。

私の思い過ごしだったかも知れないが、小中学校教科書の詩からは、読者たる児童生徒を緊張させる距離感、訓令じみた戒《いまし》め効果ばかり伝わった。

同じお説教臭い話がテーマでも、他の章の散文記述ならあっさり読み流せるのは、なぜだろう。


詩は体裁にこだわり、人を選ぶ芸術。あらゆる優劣の内、「優」しか受け入れない――国語教科書の数ページを開けている間、そんなお高い態度が無色透明な壁と化し、門前払いされそうになる。

なぜ、難しく気負わなければならないのか？　表現スタイルこそ違えども、各詩句に共通しているのは、普通の言葉遣いじゃない点だ。

しつこく持って回ったわざとらしい文章や、他方、余計な単語をどんどん省略し、終始「簡潔の美」で押し通す文章。また、聞いた事も無い外国の固有名詞が涼しい顔で割り込んだり――。いずれも、

「私は詩。あなたが普段書く文章でない点は、はっきりさせたい」

と、予防線を張り、それらの構え方が、読む側からすればプライド過剰に受け取れかね

ない場合も有る。

どうも詩人達は、一般読者より一段高い己の立場を再確認するようだ。

実際問題、「詩」が、低い意味合いで語られる機会は少ない。

小説なら「三文小説家」等の呼称を含め、文筆活動の苦労を徒労視される作家もいるし、家庭相談で「娘が小説ばかり読んで、勉強もおろそかに——」と、母親が愚痴る場面が思い起こされたりする。

「エロ小説」が成人向けなのは、青少年にとり有害とみなされるからだ。


しかし、詩を読みふけったため叱られる事は、余程稀《まれ》だろう。詩には、清らかで知的・高尚な嗜《たしな》み——といった既成概念が、もはや出来上がっている。いつから、そんな風になったか。

時たま少々下品でも、皆から娯楽同然に親しまれる詩なんて、有り得ないのか？

そう訝《いぶか》りかけた時、「詞」「作詞家」の文字が浮かんだ。

——考えてみれば私達は、幼少より「歌」という形で、大変身近に詩と接し続けてきたのだった。

また学習教材でも、幼稚園や小学校低学年時によく与えられた絵本の文章は、その多くが実質「詩」であった事を、今振り返れば納得できる（絵本に関しては後述したい）。

日頃、耳触《ざわ》り良いメロディーに心を奪われ、軽く見がちだが、「歌」は性格上、珍しい芸術だと思う。いつも調和するとは限らない二重表現が、そこにて、仲良く同居しているから――。

先程、国語教科書を引き合いに出したが、同じ小学校授業でも、毎年春、貰《もら》ったばかりの真新しい音楽教科書を開き、歌のページを覗く時、どう思えただろう。

タイトル横にページ半分位は、何番までかの歌詞、もう半分は、同歌メロディーを記した五線譜で占められる。

違和感全く無し。それどころか文章も読み易く、すんなり覚えられる。

当然、なるべく楽に発音できる言葉遣いを工夫してあるからだが、一方、その文字面から、何かしら仄《ほの》かに立ち昇る香りや情景が、脳裡で感じ取れるのも毎度の事だった。

即座に五線譜も目で追ったり、音符のみから合唱メロディーが直接実感できる訳でないのに、なぜかうっとり対面する――それは、やはり歌詞の側からもたらされた反応らしい。

正しくは「五線譜と寄り添った詩句から」――であろうか。

「歌詞」は、紛れもなく立派な詩である。但し、楽曲に乗せて歌われる事が絶対条件。

私はこの、「授業で習うよりずっと前、歌詞だけ読む」事が、割合好きだった。それぞれ歌ページから〝夢の香り〟が溢れ出て、身辺を淡く包んでくれる心地になる。

詩句（詞句）の内容は大らかだし、ごく健全なものが多い。国語教科書の詩にちらついた構えは伴わない。

そして、いずれも〝国語科詩〟と比べ、幼稚や低級だったりしない。豊かな詩情を漂わせ、それだけで毎日繰り返し読む価値を有する。

歌の創作では本来、作詞・作曲の二種分業が欠かせない。

一九六〇年代――世界的フォーク・ロックブーム以降、若いポピュラー音楽家中心に作詞・作曲・歌唱（伴奏も）の三役を一人でこなす「シンガーソングライター」が、新たな主流として定着したが、以前の歌謡界は、作詞家・作曲家が長く同じ二人コンビで仕事する形も多かった。

歌における詩（詞）と音楽（曲）の関係を掘り下げてみると、常識的な面で若干、疑問を抱かされる。

先ず、詞句と曲想の一致――これは、「利害関係」の一致だろう。共同製作（絵画）や音楽合奏（特に弦楽四重奏やバイオリンソナタ）のように心一つ、神経・呼吸を合わせる絆《きずな》の強さは、必ずしも要らないかも知れない。

普通、出来上がった詞句を相棒が読んで、それをテーマに作曲する手順である。尤も、「詞句の重み」に肩入れするつもりは無い。

各行一字一句、詩情展開にしっくり嵌《は》まるメロディーを生み出すため、作曲家が苦労する様《さま》は頷《うなず》けるが、作詞家もまた、作曲家が仕事し易いよう、言葉数・リズムや感情表現を相当配慮させられる筈。

唯我独尊――プライドに凝り固まった非凡過ぎる〝現代詩〟では、末長く愛される名曲を期待できない。

「利害の一致」を強調したのは、こうしたコンビ結成が、お互いに目標を提供し合う場になる点だ。

詞句は、格好の作曲材料。

「何を作れば良いか、さっぱり分からない」悩み程、芸術家にとり苦しく、深刻なものは無い。しかし、コンビ活動では、彼（作詞家）を輝かせるため――と、自ら納得させ、相手に恩を売れる気楽さが伴う。

作詞家側は創作上、言葉数等の技術面以外で、殆ど作曲家に気兼ね無用だが、

「おれの詞はいずれ、立派な歌曲になる」

と、心得ている分、自然、題材探しの要領は掴めてくる。作曲家のみならず歌手の適性や、それが世に出て流行した暁《あかつき》も見越しつつ、「今、一番好まれる歌」を届けたいに違いない。

これらいずれも、人間的調和であり、作品同士の表面を繕《つくろ》えても、決して中身まで及ばない。

歴史的名歌だから詞文・楽曲共、一心同体――とは行かない。それ故、ゲーテ詩「野ばら」がシューベルト作曲とヴェルナー作曲とで、別々のリズム・速さで唄われる時、我々は、双方それなりに楽しめる。

もしゲーテが同二曲共、直かに聴いたら、どちらを「本物」と認めるだろうか？　――恐らく、やはり人間的思惑次第と言える。

彼自身、歌曲化される望みなぞ一切持たなかったかも知れないが、「野ばら」は、シューベルトとヴェルナーの二人に、掛《か》け替《が》えない作曲機会を提供した。

どうも詩句には、目立たない構造・本質面で、音楽との〝腐れ縁〟が、未だ根深く隠れていそうだ。

「詩は、音楽である」――

こんな説を高校二年生頃、雑学事典的なハウツー物書籍のページ片隅に見つけ、何かしら小さな驚きの後、打ち消し切れず、裏で「成る程」と、納得しかける奇妙な心理が重なった。

過去――小・中学校時代と異なり、高校時代、私は直接、詩に親しむ傾向が強まった。それは授業で「漢詩」を知った事がきっかけだが、以後、日本近代詩や、欧米詩人の訳詩も、目をそむけず一度は辿ってみるよう心掛けた。

ところで、同説の提唱者は、一体どんなつもりだったか。

「歌」のように、純粋な音楽メロディーに詩を乗せ、男女の美声で唄われる――といった形態は、まさしく人間の口部が楽器となる音楽に他ならない。

歌曲は大概、詩句を骨組みとしてメロディーが練り上げられる。それ故、唄われた詩句までもが音楽に為り変わる現象を感じられる道理だ。

「詩歌」の言葉が示す通り、古来、詩句は何らかの音楽的節回しを付けて語られ、詠じられる事が多い。

そうした密接さから、文学よりもむしろ「半音楽」的な位置付けで扱われるべきものだったかも知れない。

だが、論者は別断、「歌」でない生《なま》の詩句をも、或る種「音楽」と、はっきり認めているらしい――そう覚《さと》った折、〝小さな驚き〟が湧いたのである。

思い当たるふしが有った。「韻」という不思議な用語――。

これを私は、同じく高校に入学したての一年生一学期、「漢文」授業で漢詩を習う際、講義に度々取り上げられる事から覚えた。「韻を踏む」「押韻」等……。

実例として、本書冒頭で挙《あ》げた「涼州詞」が分かり易い。

一・二・四行目の各々末尾に配される文字が「杯《はい》・催《さい》・回《かい》」と、「ア・イ」母音系の語音でまとめられる。これにより、詩句を詠じた際、響き良く聴こえるしくみだ。

試《ため》しに、同詩を私《わたくし》流で生音《なま》読みしてみる。

(一)ブドウ　ビシュ　ヤコウ　ハイ
(二)ヨクイン　ビワ　バジョウ　サイ
(三)スイガ　サジョウ　クン　バクショウ
(四)コライ　セイセン　キジン　カイ

確かに三行分、末尾が似通った響きにまとめられたら、声に出し、読み綴る上で快い統一感が保たれる。

知り始め頃、どうしてそんな面倒臭い規則を課すのか計りかねたが、全四行、かつ一行内に五文字、あるいは七文字だけの決まった枠が守られる定型詩であるため、音読する際の装飾的効果も可能になるようだ。

文末配置されたものは「脚韻」と呼ばれるが、こうして全文書き並べると、一〜三行目途中で「夜光《やこう》・馬上《ばじょう》・沙場《さじょう》」も、韻を踏んでいる事に気づく。

二行目「馬上」を読む際、一行目「夜光」が、またうっすら脳裡に甦《よみがえ》り、二語協調した和音的な〝質感〟をもたらすのか？　そうならば「押韻」とは、各行がバラバラに解釈されず、読み進むにつれイメージが積み重なり、深みを増す役割も担《にな》う筈。

「韻」は、国語辞典によれば、

・ひびき　一漢字音節で、頭子音を除いた部分。
・漢詩文やヨーロッパ語の詩文で、行・句等の初めや終わりに置く類似音。
――といった風に解説される。

この「韻」を駆使した詩句等が「韻文」。また音楽的リズム――音声の長短・高低・強弱・子音配列――を「韻律」とされる。

「韻」が、詩の音楽的表現そのものを意味する用語である事実は、一応呑み込めたものの、それが如何程、我々にとり身近な存在か――高校三年間通じ、十分経験できた訳でなかった。

只、「詩は音楽」という、どこか覆《くつがえ》せない喩《たと》え方を鵜呑みにし、詩集の様々な作品群を前に、「ほう、これが、実は音楽でもあるのか……」と、無理やり納得しがちだった。

それはちょっぴり謎めいて、楽しい「無理」でもあったが――。

前述と同じ雑学事典の歴史解説コーナーでハイネ詩（翻訳詩）のひとくだりが抜粋され、タイトル欄に「抒情間奏曲」の文字を見つけた時、また教科書で日本の詩人・室生犀星《むろうさいせい》の作品名紹介欄に「抒情小曲集」と載っていた時も、右と似た興味を催した。

双方共、「楽曲様式名に喩《たと》えたくなる程、趣深く展開する詩文学作品」なのだろう。いや、少々気取って楽曲風タイトルをつけてみただけかも知れない。

しかし当時、「詩＝音楽」説に囚われ中の若い私は、もしかしたら「こんな普通スタイルの詩でも、専用に特別な読み方さえすれば、脳内をメロディー演奏音が満ちる」ような可能性を、何とか信じたかった。

薄っぺらい紙面上に書き並ぶ詩句群が、各行毎そっくり実音楽とも成り得たなら、これ程面白い話は無い……。


――万事、解釈次第だろうか。「音楽」を、広義・狭義どちらで捉えるかにより、問題は解きほぐれ出す。

私達は、あまりに狭義の音楽へどっぷり浸り切り、地上あらゆる場所で流れる多種多様な音楽を「雑音」扱いしただけかも知れない。

取り分け、自然森林内を飛び交う鳥類の鳴き声は、彼等の意識的な全身努力を考えれば音楽以外の何物でもない。

鶯《うぐいす》やカッコウ、小型飼い鳥（カナリヤ等）の鳴き声は、昔から人間社会でも、一種芸術性を高く買われてきた。それは「囀《さえず》り」が、音楽文化の最も根源的な姿に通じる点と関係深い。

昼尚暗い森林内、いつ逸《はぐ》れるか分からない超小柄な仲間同士がコミュニケーションを続けるには、遠くまではっきり響く声に頼る他無い。

そして声自体、様々に情報を乗せるため、音の長短・高低・強弱、また音形（母音や子音の系統別組み合わせ）を変化させながら鳴き合うようになったのだろう。

鶯なら所謂「ホー　ホケキョ」以外に、「谷渡り」と呼ばれる危険警告が有名だし、熱帯ジャングルではもっともっとバラエティー豊かな鳴き声が、昼夜溢《あふ》れている。鳥類のみならずテナガザル類も、けたたましい反復音で吠《ほ》え叫《さけ》び、南国情緒を醸《かも》し出す。

人類文化でも、それらの延長線上に想定したくなる好例が、大昔のアジア照葉樹林帯で盛んだったとされる「歌垣《うたがき》」。

男女や、近隣の交渉相手等、微妙に立場の異なる者同士、軽い思惑をやり取りできる優れた手段らしい。お互い顔突き合わさず、壁一つ隔てた位置から、歌声に乗せた言葉のみで意思疎通が図られる。

朗々たる様《さま》は、聞く側からすれば、「詩句の語り」か、また歌唱（音楽メロディー重視）か、どちらとも受け取れるものだろう。

——過去、間違い無く「詩＝音楽」だった時代が長く有った——。

ならば現代、どうなっているか？

「歌」は、相変わらず健在。只、詩・音楽共、それぞれの領域で表現技巧が専門高度化してしまい、発生初期のような、容易に結び付く機会が限られてきた点は否めない。

クラシック界からポピュラー界（ロックや演歌含め）まで、教養・娯楽放送メディアを席巻し、一度大流行すればドル箱の経済的作用も併せ持つ「歌」分野——。もはや、ここから「詩」の面影を辿れる人も少ないのではないか。

エレキギターやシンセサイザー等、電動楽器特有の大音響に包まれると霞みがちだが、無条件に聴き手を酔わせる力は、どうやら「詩プラス音楽」――この、相当矛盾を塗り込めた本質から、化学反応の如くどんどん湧き上がるらしいのだ。

ちなみに、「作曲家 某《なにがし》が、新しい交響曲レコードの販売で一山《ひと》当てた」ような話を聞いた経験は無いが、歌曲では昔から、しばしばそれが起こる。エルビス・プレスリーやビートルズ然《しか》り、日本のポップス歌手も同じ。

彼等がデビュー以来、専門ギタリスト分野でのみ活躍したなら、たとえハンサムボーイでも、「アイドル」として自国内人気すら勝ち得たかどうか、疑わしい。

爆発的流行現象の裏に、詩に宿る潜在的虚構性を、片や方向性定まらずとも生々しい「実体」そのものである音楽が解放する――相互保証の側面も覗ける。

――詩は、音楽に誘《いざな》われ、巷《ちまた》へ舞い降り、大いなる金と人々を呼んだ――そう解釈すべきかも知れない。

果たしてこれが、双方共の幸せな姿だろうか。

私は、音楽側に過分な利を認めたくなる。詩は利用されただけ……。

二十世紀先進諸国の歌謡文化興隆は、かつて貴族階級や宗教界でステイタスシンボル扱いだった芸術音楽の嗜《たしな》みが一般化する際、尖兵《せんぺい》役を担《にな》った。

一段 遡《さかのぼ》る十九世紀音楽界は、正統派内こぞって、演奏規模・技巧や表現様式を巡り、変化や競争が著しかった。

産業革命の影響で、工業化社会に倣《なら》い、新時代から取り残されぬよう、絶えず「進歩」を心掛けた所為か。作曲や演奏は、より難解さに挑み、実験的試みも相次いだ。

それらを、後世人の我々が顧みて聴くと、かなり執拗、不自然。そして、はからずも「進歩の限界」すら悟らされる。創作意識からも愛情面を欠き、虚無・絶望指向が少なくない。

とうに市民生活・文化と掛け離れ、音楽が「音学」化した相を呈《てい》している。

そんな中、同じ正統音楽界で、別の新しい流れも力を増した。

シューベルトが生涯生み育て続けた四百余りに上る歌曲群は、結果的に、今日尚、世界中で栄える歌謡音楽文化の土台を成すものだろう。

技巧の高度化＝進歩よりも、ソフト面重視に貫かれた姿勢——しかし、ここからこそ音楽新時代「ロマン派」が拓《ひら》かれ、後、ワーグナーの「楽劇」（総合芸術）精神にも影響大きかったと考えられる。それは、音楽史観上の再出発を意味した筈だ。

無論、シューベルトは象徴的な一人に過ぎないだろうが、それまで半世紀間程、宗教儀礼や宮廷文化から解放されつつも「常なる目標」を失った状態の芸術音楽が、単独でなく文学——取り分け詩世界と深く交わるにつれ、存在意義を再確保し、早速動き出した構図——。

これが無ければ楽壇自体、やがて立ち枯れていったかも知れない。

「詩の音楽化」は、あくまで音楽のために必要な改革であり、片や詩側は、甘いメロディーに身を売った感が強い。

例えば「野ばら」「魔王」はじめシューベルト歌曲が十九世紀内を通じ、先進世界の隅々まで行き渡る事で、有力な題材源だった「詩人ゲーテ」の名も同じ位、聴き手達を虜にしただろうか？　詩情までもが、シューベルトメロディーの栄養分として吸い取られてしまったのが現状ではなかろうか。

歌において「詩情」は、如何なる名文も、音楽の表現エネルギー（音量やリズム、弾力、長・短調使い分けによる情感落差）に、遠く及ばない。

そもそも詩句が意味内容を提示し、読み聴きした脳内で、思考により理解する間接的伝わり方は、音という「物」を直接脳へ注ぎ込む音楽表現様式と、反応の仕方も異なる。

あえて詩が勝る点を挙《あ》げるなら、それを理解できた瞬間、成り立つ視覚イメージの効果かも知れない。

詩句は大概、或る種、物語形式を持ち、いずれも風景に描き表せる。詩情の想像作用のみで、わざわざキャンバスや絵の具、あるいはカメラフィルムを用意せずとも即〝脳内スクリーン〟に、鮮明な映像が広がる。

歌曲「野ばら」なら、明るい昼前、草地で遊ぶ可愛い少年の姿を思い描き、そこへＢＧＭよろしく、あの四拍子リズムに乗った軽快なメロディーが包み込めば、聴き手も心癒《い》やされる。「視覚面」ばかりは、先んじて詩側からもたらされる——名誉挽回と考えたいところだが、ここにまた一つ、からくりを見出す。タイトル問題だ。

ボーイソプラノや、はたまたテノールで高らかに唄い上げられる様子を前に、我々は、

「これが、シューベルト歌曲『野ばら』か」

と、感心する。決して、

「シューベルトが曲付けしたゲーテ詩『野ばら』か」

とは思わない。

この時点ではや、「音楽優位」が決まったも同然。タイトルさえ確保すれば、後の展開は、（詩句から思い描ける映像含め）メロディー次第で如何様にもイメージ操作される。

音楽が求めていたのは詩句のみならず、そのタイトル――即ち「曲名」候補だった？

一般に、大規模な管弦楽曲を名指しする場合、作曲者名や演奏形態、そして各分野毎に附された番号が組み合わさり、「ブラームス交響曲第一番」等と呼ばれたりする。

但しこれは、毎年、数多く演奏される一握《ひと》りの名曲でもない限り、聴き手の注意を引き付けにくい。また大曲になればなる程、作曲者自身、特定イメージに縛《しば》られ易いタイトル付けは煩《わずら》わしく、無くても別断、平気に違いない。

一方、歌曲だと十中八九、タイトルを持つ。そして、それはいつも必ず、題材源たる詩からそっくり頂《いただ》くもの。

まさしく、詩と結ばれた音楽は、名及び体を得、「歌」として世間へ生まれ出る事を意

味する。

「体」の方は？　と言えば、詩句そのものに他ならない。

良否はともかく「歌」がどれだけ、元々の詩を変質させてしまうか——先程から「野ばら」の件で述べたように、題材が同じゲーテのたった一作なのにシューベルトとヴェルナーでは、凡そ別世界へ通じる趣。いずれ劣らぬ名曲だが、それを以て「野ばら」が名詩である、との保証にならないところが悩ましい。

只、〝名曲詩〟とは明言できたかも知れない。なぜなら元々の詩句も、しっかり音楽性を備えており、作曲家とすれば、実音楽メロディーに仕立て易い素材だった筈だから。

総じて歌曲メロディーは、詩らしい物語展開（視覚イメージ）を引き立て、BGM的な脇役を担って聴こえるが、その実、詩句全文から音楽性——「韻律」に依存しながら体を成す寄生関係でもある。

私が小・中学校時分、毎年春に貰う新しい音楽教科書を最初パラパラめくった際、数多く出合う歌詞記載ページから、香り立つような新鮮味を感じるのは、音楽教科として枠付けられた結果、詩句内から〝音楽的成分〟が、たっぷり滲《にじ》み出ていたからだと思う。

それ故か、やがて授業で、相方《あいかた》の歌曲メロディーまで習い覚えた後は、歌詞のみにじっくり見入りたい気持ちも二度と起きないのだった。

「詩＝音楽」論は、現在なら歌曲という形が最も分かり易いが、今度は、詩側に立って確かめたい。

2

詩に関する解説書を読むと、「韻律」は、詩に内在する音楽要素である事が納得できる。只、それが音（読み上げる声？）の響きやリズム感のみから成り立つ訳でなく、詩句の意味内容とも不可分な関係をことさら強調された場合、困ってしまう。

確かに、おっしゃる通り――詩の鑑賞は「書かれた文章を読む」行為で、語意が一つ一つ正しく掴めない者は〝潜《もぐ》り〟とみなされて当然――かも知れない。

……しかし、「言葉は生き物」の譬《たと》え通り、「語意」は基本的な約束事がしっかり定まっていれば、日常あらゆる方面、あらゆる人々から結構様々な解釈が為されてこそ、それなりに上手く行く。

もし、そんな語意と韻律が不可分ならば、韻文箇所も同じく、場所柄等と合わせた調整――絶えず読み方を変化させねばならない？

私は「韻律」に、あくまで音楽要素のみ認める。語意との切り離せない関係を云々《うんぬん》するのは、前以て鑑賞者の主観が相当制限されなければ難しいだろう。

「声」には、必ず何かの生物的意思が伴い、言語化できるものも、できないものも混じり合う。赤ちゃんが、あたり構わず泣き叫ぶ声は、単なる音でない。意味こそはっきり通じないが、本人にとり今現在湧く気持ちを目一杯晒《さら》し、母親へ向け、何事か訴え求める態度。むっつり黙ったまま、バタバタ物を叩いて知らせるような仕種は、先ず見られない。

「音出し行動」等、間接表現だから、相当知的に発達しなければ思いつけない筈。でも、仮にそんな場合、腕や掌《てのひら》が道具代わりとなる。道具さえ使えば、すぐ音を発せられる。

生活言語にも、似た性質が有る。言葉は、覚えた種類数しか使えないから、記憶力等で個人差が出る。

人間、同じ一つの意思を言葉で表す方法も、実に沢山選択肢が有り、そこから何を採るか——個性や立場が影響する。

或る人は必要最少限の要点のみ、ポンと伝え、別の人はクドクド長く前置きした後、遠慮半分で本題に移るかも知れない。また、一見馬鹿げた譬《たと》え話から、察知を期待したり——。

専門用語や、特定の仲間内しか通じない隠語が幾つも紛れ込んだら、聞かされる相手はお手上げだ。

所謂「名詩」の文章が、執筆当時流行った隠語や、あるいは日常語と抱き合わせで暗号を秘めていないとも限らない。「聖書暗号説」等、本気で研究されて久しい。

しかし、もし暗号目的だけが込められた文章でも、誰かが繰り返し読む内、とても快い響きに感じられ出したなら――それは十分、「詩」の値打ちを兼ね備えていた訳だ。――韻律の本質も結局、そのあたりに見出せそうな気がする。

韻律は別段、思考を必要としない「言葉音楽」。語意との間に〝血縁〟的なつながりは元々無い。

只、同じ詩句を形作る役目上の関わりが有るため、そこを重要視され出したが、既成作品からは装飾・副産物的な効果がちょっぴり窺える程度だろう。


歌以外の純然たる詩――言葉音楽演奏・鑑賞の機会と言えば、「朗読」しかない。

普段、詩朗読公演が公式に、一体どれ位開催されているか？　音楽演奏会と比べ、その回数は微々たるものと思われる。

大体「詩の朗読」と聞くだけで、肩が凝りそうに思え敬遠気味となる人も多いのではないか。

会場を訪れたら、暗い中、正面舞台のみ、マイクの前で詩集を開き持つ朗読家と共に浮かび上がる――そんな光景が常識的。

その読み上げ方も身振り少なく、殆ど直立不動のまま一定時間聴かせ、見せつける。

客達は、押し並べてしんみり大人しく、落語並みにくだけた爆笑が巻き起こったりしない。

また、単独公演でなく、何か大掛かりな儀式の中途で、連帯感を盛り上げるため、朗読が差し挟まれる事は少なくない。

いずれにせよ硬い表情・口調で、参加者達の良心や使命感に訴えようとするシリアス傾向が、昔から有るようだ。出し物自体、深く考えさせられる内容の作風に偏りがち。

これだと、詩の「文学固定化」になってしまう。

本来の詩朗読は、むしろ音楽演奏会に近い催しだった筈。――かと言って、響き良く「頭韻・脚韻揃い、音楽的名調子に長《た》けた傑作」を、わざわざ用意する必要は無い。

声に出し、読み上げる行為自体が音楽表現だから、そのため使用された文章は、すべて詩音楽であり、そこかしこ韻律が働く「韻文」とみなせば良いのだ。

ならば小説の朗読は、どう考えれば良いか？

やはり「音楽」である。

世に言う「散文」と韻文の違いも、読み上げた際、響き良く聴こえる語音が含まれる度合から来ており、言語としての性質まで問われる話ではない。

最初から音読を想定し、韻律も多くちりばめられた「韻文」の代表芸術が詩だし、一方、散文は、文章により伝えられる情報量が多く、それが思考材料を成すため、黙読前提である。

一々語音の響きに構っていられないからだが、韻律が無い訳でなく、探せば沢山見つかる筈。

散文芸術の代表格は勿論小説で、それこそ「意味内容」を主役とする。

さて、「黙読」へ、もう少し踏み入れると面白い嗜み──「読譜」が有る。

一流音楽家は、オーケストラやら弦楽四重奏団用の複雑極まる楽譜でも一目読めば、そこに数段ずつ書き連ねられたメロディーとリズムの組み合わせ、強弱、調性の変化等、即まとめて把握する、との事。

早い話が楽器一台持たぬまま、あらゆる名曲を鑑賞しているらしい。

定期演奏行事からしばらく遠ざかる暇な期間中、分厚い原典──偉大な先人が遺《のこ》した自筆譜写しをじっくり辿れば見識も深まり、有意義に過ごせるだろう。

自己経験無いものの、私はこれを「読書」＝文学的なイメージで捉えずにはいられない。

読譜者が五線紙上から得る情報は、個別の楽器指定により初めて、演奏音を概ね具体化できる。

しかし、もし楽器指定より先、中身の側へ目が行き、合奏メロディーや和音、曲展開の素晴らしさが理解できたなら、それはもはや音楽に非ず──何か〝旋律言語〟で書かれた文章を読むに等しい思索行為ではなかろうか──。

3

以上、見てきた通り「詩＝音楽」論は、理屈上正しい。少なくとも誤りでない。

しかし、詩は、それを繰り返し読んで風景を思い描いたり、また一節一句が、人生的悩みへの癒《い》やしや励ましになり、日頃忘れかけた良心を甦《よみがえ》らせ、反省させられたり——と、文学的側面が極めて色濃い。当然、そちらも揺るぎない本物……。

双方同時に充実させたく夢見るのは人情だろう。

詩には、音楽と文学が同居している——丁度〝体内〟を、音楽と文学の境目が走る特殊構造なのかも知れない。

もっと建設的に解釈し直すなら、こうも言えるだろう。

——詩は、音楽と文学の間に生まれ育った子供——。

古代音楽から詩が分かれ、独自発達した、とする説は有力だが、人類文明——ここ数千年間、詩がどれ程発達しただろうか。

とても、そうは思えない。

むしろ、詩人ホメロスが居たギリシャ時代の社会なら、生活時間内で、もっと詩を活用できたに違いない。

音楽ばかりが、発達し過ぎたのだ。詩は、孤児の如く取り残された？　――しかし、裏を返せばそこにこそ、今日《こんにち》、ごく僅《わず》かな救いも覗きつつある。


音楽は、楽器という便利な道具をフル活用する事で、後年、機械文明に組み込まれた感が強い。この点、他分野より、内実は却って深刻だった。

十九世紀正統音楽での著しい規模拡大・技術至上主義、反面、各々曲想や情緒の空疎な無機質化は、もはや「芸術性」の何たるかを疑わせる姿だろう。

そうした近・現代音楽と異なる、広い意味の音楽（「原始音楽」？）――生物界すべてを通じ、自然と営まれる心身活動上の特性――が、言わば〝遺伝子〟となり、未だ「詩」には残されていそうな感じなのだ。

人類社会にて、情報の大量伝達・蓄積や、思考・検討に欠かせない手段として言語――取り分け「文字」が行き渡ると、そこからやがて文学が確立し、長短問わず次々作品も書かれた。

それらの内、一部――題材や文体が趣深く、また滑稽だったりすれば、人々は「語り」、あるいは節回しを付けた「唄い」で以て響き良く、大勢に知らせ、広め回った。

一方、個人にとり身近なおまじないや掛け声、遊び用の擬声語・擬態語に、慣れ親しんだ後、文字に書き残す機会も数多く有っておかしくない。

「文章の音楽化」と「音楽の文章化」が、あちこちで為《な》される過程に、詩作感覚が養われたのだろう。まさしく文学と音楽の交わる間から誕生した複合芸術「詩」は、現代まで脈々続いている。

「詩の起源」は丁度、食用イネの栽培起源地に「インド説」や「東南アジア（照葉樹林地帯）説」が分かれる如く、絶対結論的な立証をできない。

詩を深く嗜む個人が各自、納得できる道筋を思い描けば良い事柄だろう。

只、この分野は過去、人間的思惑から、不当に高く位置付けられてきた。

小説や演劇、楽曲、絵画作品でありながら表現技巧が抜きん出て優れ、衆目を唸《うな》らせる特定場面なら、「これは、もう、一編の詩だ」と、時たま評されるし、波瀾万丈、一代の歴史的風運児を語る際、

「彼の生涯そのものが、詩であった」

等々――これは絶讃クラス。

ところが、もし「名詩のような生涯」と語られたら、「詩のような――」よりも幾分耳触《ざわ》りが狭苦しい。なぜだろう？

詩は、「詩」という単語自体にはや、相当敬意が込められている。

詩作品への否定的評価に際《うんぬん》し、「これは、詩でない」と、コメントされる事が有る。詩評では「詩情」や展開を云々する前に、詩で「あるか？」「ないか？」の問題が出る。も

し悠長過ぎたり、愚直な文体だと「詩扱い」そのものすら受け付けられない。

一旦、「詩」と〝資格認定〟が下りたら、少なくとも標準以上の教養・文章技量を持つ人物にみなされる風向きだが……。

詩は、「人」そのものだ。内容・形式共、人の個性並みに色々有り得る。

一方、時として日常生活にも影響し易い万人の名誉心、プライド優先が〝詩格〟と直結し、過度に思い入れさせる。

詩の場合「可愛い」「面白い」「勇壮な」等、優しい褒《ほ》め言葉は、むしろお茶を濁した社交辞令に聞こえる。

ズバリ「優れている」と評され、理由が論証的でなければ、中々有り難い気持ちになれない。それ程「権威」を帯びた半面も持ち合わせている。

昭和十七年に発表された小説『山月記』（中島敦作）は、唐代、若くして非凡な才能に恵まれながら宮庭詩人になれなかった主人公「李徴《りちょう》」が、絶望と自尊心の板挟みから半狂乱となり、或る夜、森林内を疾走する内、一匹の大虎に変身してしまうやるせない物語。

なぜか詩に対してだけは人間、こうした命懸《が》けの誇りを、昔より抱いてきたらしい。

詩が、分野丸ごと権威主義を帯びがちなのは、古来あまりに多種多様で様式面が定まり切らず、また、そんな事情を誰も十分顧みぬまま、有力な一芸術文化を築いていったため、結局「名の知れた偉い人の詩作品＝名詩」とならざるを得なかったのであろう。

漢詩のように早くから定型化されていれば、まだ良かった話だが、日本語は定型詩に大変馴染みにくい。

器が薄弱にも拘らず、絶えず人々から関心の的だった原因は、音楽・文学の二大芸術と結び付き、切り離し難く橋渡しを担ってきた華やかさだろう。

歌曲やオペラがその典型だし、古い日本伝統なら、和歌・俳句・能・歌舞伎ｅｔｃ．……いずれも、詩的要素が魅力的に生かされる。

真の実体不明瞭、かつ権威が物言う有力さ――詩文化が抱える構造的隙間へ、世間臭い名誉心が巣くった、と睨むのは私一人のやっかみだろうか。

作る人、広める人それぞれの都合から、詩は「音楽のような文学」にも「文学のような音楽」にも変身でき、絶えず高止まりで〝世渡り〟してきたに違いない。

しかしこれは、今後を見据《す》えた場合、詩芸術にとり決して幸せでない。もう、そういう段階を過ぎた感じだ。

今こそ、改めて定義付けしてみたい。

――詩は、音楽と文学の子として生まれ育った複合芸術――。

「巧い下手」や形式種類問わず、あらゆる詩句は、双方の〝血〟を併せ持つ。声に出して読み上げれば音楽となり、黙読すれば文学となる。

この原理を先ず、みっちり心得た上で創作や鑑賞をすれば、誰しも詩との付き合い方が、気楽になるだろう。

詩分野に関し、現在求められるのはとにかく、「器」をしっかり作ってやる事。園芸での植木鉢に準《なぞら》えたらいい。

何か特定有名作品を挙《あ》げて「これが模範詩」と決め込み、構えるよりもっと大切なのは、なぜそんなスタイルを好んだか——各自色々、人生的背景が有るものだ。

それを探しに出る心の旅も、また結構楽しいと思われる。

第二部　文学と私

1

「詩との関わり」という側面に立ち、詳しい自己紹介も兼ねてお話ししたい。

私は小学校時代、成績の悪い子供だった。

とにかく普段、気が散り易く、国語含め、どの教科でも知識や思考・計算能力が身につかなかった。或る種発達障害が有った事は、どうやら確からしい。

その分、遊び熱心だった。特に昆虫採集やドングリ拾いで、身近な自然山林を探検する事がたまらなく好きだった。

そこで見上げる樹々や空、池面、草花……、そして足元の乾いた地面が、意外と感慨深い。しゃがんで、土や石ころ等いじり回る内、自分が高い空から、虫達も暮らす〝町〟を眺め下ろしている気持ちになってくる。

小さい世界なのに、広大さを帯びて感じるのがいつも不思議だった。

同級生よりもセミやトンボ、チョウ、ドングリやワラビの方が余程親しい友達だったが、教室には、丁度私と同じ位の成績で、張った大声で早口、慌《あわ》て性、つり上がった黒縁眼鏡

──と、見た目もコメディアンタイプの親友がおり、立場上似た者同士のよしみから意気投合。

休み時間や放課後、決まった場所で毎日毎日、飽きもせず「話作り」に熱中した。

話作りと言っても、お互い自己陣営から、

「ところで、○○将軍は兵を上げたぞ」

と、半ば宣言し、仮想の小規模戦闘を起こし領土争いする「国盗《くにと》り物語」のような展開である。勝ち負けの目安は、合戦で顔を合わせた将軍同士の力関係──私達の合意から大体決まっている──少し将棋と似た感覚で、バーチャルな国際政治を取り持つ風変わりな遊び。将軍達の〝似顔絵〟を描いて見せ合ったりもする。

当時、テレビ番組で、大型ロボット同士決闘する人気少年漫画やチャンバラ活劇、大河ドラマの影響が強かったからに違いない。

毎日、殆ど同じ繰り返しなのに子供らしく、やっている間、楽しくて仕方無い。傍から見たら、観衆をも二人だけで演じ、笑いこけながら漫才に浸り切る光景だっただろう。

家での読書は、挿し絵が豊かな事典類中心。

一番の宝物は昆虫や動物・魚介類の図鑑だが、親の百科事典を持ち出して開き、無雑作に眺め回すのもこれまた楽しく、休日や暇な時間の癖となった。

反面、ごくたまに親から勧められ、名作童話を一冊読み通してみても面白かった経験なぞ数少なく、感動とは凡そ無縁な味わいだった。

私が人生で初めて「本格派文学」と呼べるものに自ら手を触れたのは、中学二年生初めの春先だった。

「明舞《めいまい》団地」なる完成間も無い、当時関西地方指折りとも言われた一大ベッドタウンにて、中央ショッピングセンター二階（一、二階のみ相当天井が高い）——間口は狭いが開放的な書店で、エドガー・アラン・ポー傑作集『アッシャー家の崩壊』を、母に買って貰った記憶が鮮やか。

朝から、妹も含め三人で、新興団地見物のピクニックに行った快晴日。ひと通り見聞し終え、そろそろ帰りに移る前、母が昼ご飯用の買い物をしようかな、と話している内、つい新しい書店にも立ち寄ったところだった。

数年前まで広大な自然山林や野原、または畑ばかりだった近郊農村地域であり、開発後も、それらしくすがすがしい生気を湛えていた。

本屋内から玄関側を向くと、まるでトンネル出口のようなガラス扉の向こうは全面、透き通った西の晴れ空が明るい。

団地内どこからも目立つ十二階建てセンタービル（三階以上は共同住宅部分）が、巨大壁状に一棟そそり立ち、その日陰となる西面側——裏庭風広場を見下ろす長い二階、外廊下沿いの商店街。いずれも新しい分、身を置くだけで、希望溢れる別天地が実感できる。

とにかく家族三人、モダンな空間に浮き立ち、文句無く快い。まだ田舎っぽく、海からも決して遠くない東播磨丘陵地帯である事が、却って買い物気分に華を添え、大都会の老舗デパートへ連れて行かれた時よりも興奮してしまうようだった。

母は日常、結構文学好きで、朝食や昼食時の楽しい会話中、ポーも時たま顔を出す作家の一人だった。

何より『黒猫』の残虐な筋書きをネタに、子供達を驚かせる効果大だったのだろう。ポーと聞けば「怖い」お決まりイメージが出来上がっていたが、そこはテレビや映画でスリラーものを前に「絶対イヤ」と思う反面、「怖いもの見たさ」に駆られるあの心理も催し、成長する程そちらが増す傾向だった。

それまで小学校時代等、文学らしい文学体験と言えば、お定まりな童話・昔話の類が主体。

宮沢賢治や鈴木三重吉は、母から読み聞かされて初めて名を知る程度だったが、只一冊『世界名作全集』は、今振り返れば大変値打ち物だったと思う。

厚さ二センチ足らず。新書判よりやや大きいサイズで、持ち運び軽い。表紙全体は、かなり淡くくすんだピンク色系統。上部を青緑の線模様が横向きに走る、品良い装丁デザインだった。確か、母が若い頃持っていた女学生向け雑誌の附録――奥付記載欄から、そう知った記憶が有る。

そこには、世界史上名立たる文学作家達の傑作一編（大文豪なら二編）ずつが、モノクロ写真風の木目細かい本人肖像画と共に載せられていた。作品イメージに沿った平易な挿し絵も一ヶ所ずつ添えられ、紙面が生き生きロマンチックに見える。

あまり良い教育環境に恵まれない私でも、物心付く頃より知らず知らず、そのダイジェストな世界文学全集を愛読するようになっていた。「名作あらすじ事典」のような構成だが、当時は、一冊内に各作品のエキスがすべて凝縮されているかに勘違いしてしまった。例えばビクトル・ユーゴーの『レ・ミゼラブル』が、文庫本六冊分も量が有る等、知る由《よし》も無く、たまたま本物を買い込み、手にしたのは三十歳近い頃である。

読書中、子供心に世界文学と直接触れる香り高さや、ページ毎、こちらの身辺にも一種気負いを促される心地から離れ難く、いつしかその一冊は、私専用の手作り本棚で大切に収まっていた。

個人性向にもよるが、時々強く興味を引かれるのが「怖いもの見たさ」を満たしてくれる思わせぶりな作品群。

日頃、母から「怖いよお！」と脅かされるポーだと、掲載された小説『黒猫』のゾッとする暗さより、読者からネガティブイメージを一人背負うようなポーなる人物に対し、あれこれ知りたくなっていた。

額《ひたい》にかかる豊かな髪、ギロッと鋭く丸い目、下がり眉、口髭《ひげ》――涼しく悟り切った顔付きの肖像画。

隣合わせで並ぶ作者紹介欄には、他にも「妖気の漂う傑作」として『アッシャー家の崩壊』『黄金虫《こがねむし》』を挙げていた。

私にとり小判の『世界文学名作集』は、肖像画から作者各々の人となりを確かめて楽しむ場でもあった。前々より読み癖がついていた『人名事典』の延長的存在だった側面は否めない。

映画俳優と同じで、肖像画から、様々な個性を振り撒いている作家一人一人のファンになって行った。ポー以外にも、イスラム風民族衣装姿（ターバン着帽）で斜め横顔モデルの、バイロン卿《きょう》が好きだった。

バルザック、モーパッサン、ゴーゴリ等、ややぽっちゃり顔気味の作家に見入る事が多く、パール・S・バックやマーガレット・ミッチェル、ブロンテ姉妹のページでも、よく手を止めたが、表情険しいゲーテやシラー、トルストイは、いつも飛ばし読む。

逆に、奇異な作品タイトル名から興味を覚え、段々馴染んだ人物は『二十日鼠《ねずみ》と人間』のスタインベック、『変身』のカフカ、また近代中国作家も――『阿Q正伝《あキューせいでん》』の魯迅《ろじん》や『駱駝祥子《ロートシャンス》』の老舎《ろうしゃ》が有る。

それら各作品に似通ったテーマは、社会変化と上手く合わせられない一庶民が呑み込まれたり、自ら引き起こしてしまう悲劇的不条理——と言ったところか。

怖いもの見たさを満たす作風なら、『忍び寄るもの』のメーテルリンクも忘れ難い。

当時、まだ私自身が置かれていた劣等生的境遇の不安定さは、恐らくそうした好みに現れていただろう。


日本作家も、別本の『人名事典』から、名前は幾らか知っており、やはり「顔」が決め手。右手先を緩《ゆる》く額に触れた肖像写真が有名な夏目漱石のファンだった。

但し、『坊つちやん』『吾輩は猫である』はじめ名作類が、親同士、茶の間の話題で時折飛び出すものの、はっきり中身を知る機会が無く、実のところ、何が素晴らしいのか、あまり分からなかった。

高校一年新学期、現代国語教科書に『こころ』の抜粋を見つけて読んだ時が、一応まともな漱石体験である。

後日、文庫本も手に入れたがとにかく「雲の上の人」として頭に在り、読み心地良し悪しのみで軽々しく評価できなかった。

『こころ』は、タイトル通り、人間存在の拠り所に関し病的なまで深く掘り下げる内面性が、これぞ本格派小説か——と納得させられる緊張を、全編に醸《かも》す。

後半部が、中心人物「先生」から、主人公宛てに届いた手紙（すべて敬語文）で占められるあたりも、漱石ならではのサービス精神だろう。

丁度、この「先生」さながらに全生涯的な不安に取り憑かれ、厳しい向上心で己をどんどん追い詰める生き方だった芥川龍之介と比べ、漱石自身は、どこか割り切った成り行き任せな性格らしい面も共感できる。

未完の長編『明暗』が最高傑作——との百科事典解説に、強い関心を覚えた。

しばしば、近代日本最高とも讃えられる童話作家・詩人——宮沢賢治は、母がよく読み聞かせてくれた所為か、『風の又三郎』『グスコーブドリの伝記』『カイロ団長』『注文の多い料理店』他、面白くて物語内容も相当覚えたが、肖像画や写真からは中々、人物観を掴みかねるもどかしさが残った。

やや暗い目付きで、小心そうな顔立ち——。

彼は、科学に対する動物的感性が並外れていたようで、その文章から理科用語や、珍しい鉱物名称がポンポン飛び出す。

地方農村作家を誇り、必ずしも伝統のしがらみと闘う姿勢でない。

一方、意外と垢抜けた国際文化的な視野も十分窺える。やはり詩作こそ、心遊べる本領だったに違いない。

私見で恐縮ながら、宮沢賢治の伝記に触れると、なぜか画家ゴッホを思い出してしまう。

ゴッホのような自虐性は薄いが、四十年足らずだった短い生涯、生真面目で個性的過ぎる作風。また田舎に、集団（社会）生活の新しい理想郷を夢見たり——寂しがり屋気質の天才という点で、似た人格に感じられる。

母は、戦後日本の流行作家であった太宰治や吉屋信子も、よく話題にしたし、「現代文学」では有吉佐和子・水上勉等、社会病理に真正面から取り組む小説家を好む傾向だった。

2

中学生時代前半、ポー傑作集『アッシャー家の崩壊』を得た私は、しばらく、その虜になった。

中身よりも最初、全面濃い赤紫色で、金文字入りのクロス表紙が〝宝物〟として楽しく、本棚に華やかさを演出した。

『黒猫』以外でポー代表作と言えば、先述したダイジェスト版『世界名作全集』の著者紹介欄通り、『アッシャー家の崩壊』及び『黄金虫《こがねむし》』――新しい購入本にきっちり載っている。

元々この二作がお目当てだった事から、早速読み始めた。

前者は、その魅力が殆ど呑み込めず、最終場面、主人公が見守る中、池畔の壮大な洋館＝アッシャー家が自然倒壊し、地中へ沈み込む現象のみ脳裡に刻まれた。

標題作でもあり、つるりとした本ケース表面――白地に、一部やたら朱《あか》っぽい朝焼け的逆光と、アッシャー家の黒影が目立つ――劇的・シンプルな絵柄から来た暗示かも知れない。

ところが、片や『黄金虫』は、後々も繰り返し読み、我が一番の愛好小説となっていった。

――登場人物は「私」と、世捨て人よろしく離れ小島で生活する親友、そして日常彼に付き添う老召し使い。

その「親友」＝主人公を中心に、或る珍しい黄金色甲虫の発見にまつわる話題から、幾つも偶然を経た上、三人が何かと利害絡み合いつつ展開し、昔、海賊に隠匿された財宝を探し当てる物語だ。

秘密文書一枚に載る通り、近郊沿岸部の森林地帯で、巨木の枝から黄金虫一匹を紐吊《ひも》りしたり、落下地点を夜通し、三人助け合い、鋤《すき》で大穴掘りしたり――と、一生懸命試みる。やがて、土に埋もれた古い白骨死体を登場させるあたりが不気味と言えば不気味だし、主人公の召し使いに接する態度も随分高飛車だが、不思議と後残りしない。

大まかな筋立ては、物好き伊達男二人と、おどけた老召し使いが繰り広げる難儀な発掘作業。及び、機密文書の約二行半に渡る数字・象形記号文から、宝埋蔵場所の記述をコツコツ、粘り強く解き明かした過程の再現であり、全編仄《ほの》かな友情が滲む。戦慄《せんりつ》場面は無に等しい。

私なぞ最初と、結びあたりに淡いタッチで挟まれたデッサン画もさる事ながら、後段、暗号解読のタネ明かし場面、主人公が回想する下見行動時の自然描写が、手に取れる如く鮮やかに実感でき、大変視覚的な刺激を受けた。文学技巧上の価値云々《うんぬん》より、その垢抜けた読み応えから、自分も将来ぜひ、これを見本に一作書いてみたい、と欲したものである。


とにかく虫捕り大好き――絶えず自然と触れ合う事で「今、自ら生きている空間」の値打ちを信じ切れた私にとり、ポー作品の内、通常もてはやされる『黒猫』以下、『アッシャー家の崩壊』『モルグ街の殺人』等、おどろおどろしい心理ドラマや犯罪ものは、むしろ示威や敵愾《てきがい》心の産物に思える程度。

近代都会内で暮らす市民達を扱う際、いつも際どく陰惨指向へ走る彼が、舞台を緑深い離れ小島に据えただけで、こうも落ち着いて振る舞えるのはなぜか？

『黄金虫』では、有りふれた俗っぽい背景付けや道徳的こだわり、虚勢の類《たぐい》が一掃され、言わば童心で以て、元々の構想通り物語化できたらしい軽快さに満たされる……。

恐らく、人間だけが溢れる一般世間よりも、地上あらゆる森羅万象を友として暮らす方に、ずっと向いた彼の体質――という理由だっただろう。

そこから透けて見える像が、もう一つの顔――「詩人ポー」である。

自然探検と連動しつつ、高価埋蔵品探しのみで貫かれた適度にスリリングな筋展開が快く、結局現在に至るまで、ポーと聞けば「小説『黄金虫』の作者」以外、何者でもなくなってしまった私。

『ポー傑作集』の、注目させられた箇所は彼が遺した原作のみならず、心温まる巻末解説だった。それ自体、一作品に匹敵する重み。

記憶通り、要約してみよう。

――ポーは、今日、全世界で盛んに書かれる推理小説や探偵小説を、最初に生み出した「元祖」と言える人物。コナン・ドイル初め多くの英米作家が、その手法を受け継いだ。しかし、決して怪奇や珍しい犯罪事件を小説化し、人々を驚かせるだけの「読み物作家」でない。彼は、たとえ規模が大きくなくとも、その本領は詩人であり、また、詩を書かせた精神は、「この世」ならぬ美しいものへの憧れなのである――。

同感だ。私が毎度、必ずここらを通らねば一冊読めた気分になれなかったのは、収録作品内に一編すら見当たらない「詩」への言及が、甚《はなは》だ熱っぽく受け取れた故だった。

解説によるとポー詩は、美しい響き＝音楽的リズムを持つと言う。その名調子から、英米よりもフランス詩人――マラルメやボードレールが強く影響を受けた事、また傑作詩として晩年の「大鴉《おおがらす》」も、名を挙げられていた。

それ程絶讃されるポー詩とは一体どんな値打ち物か？「音楽的リズム」って、何だろう？現物が手元に無い分、却って期待ばかり先行する。

――ずっと後年〝出来心〟から、思い切ってポー詩集を買い、読んでみたところ、中学校時代にほんのり想定した輝きは、残念ながら見出せなかった。

正直、思いの外物悲しい題材が多いし、音楽的リズムにしても「鈴の歌」が、まさしくそうなのだが、翻訳詩では全く以て英語原文の響きが味わえない――。

もしかしたら「ポー傑作集」監修者は、原詩を読みこなせない読者が矛盾に陥る虞《おそれ》を見越し、ことさら詳しく解説しながら――作品掲載をためらったのかも知れない。

しかし、わたしもこの時期、詩に音楽的リズムが息づく真理を教えられ、また「詩は、とても素晴らしいもの」という認識がしっかり深まった。私にとりポー芸術は『黄金虫』只一つで十分。他の何十作かは詩も含め、お飾りと呼べる位、間接的。

考えてみれば『黄金虫』こそ、長大な散文詩とみなせないだろうか。意識しなかったにせよ、ポーが同作を書く姿勢は詩作に通じる――どうも、そう思えてならない。

人里離れた山中で宝探しの成否や、暗号解読自体は特段、緊迫感や情感を伴わない。後者なぞ、まるで中学数学問題集の解答欄みたいだった。

雲突くような巨木に登り、枝刺し頭蓋骨の眼窩から黄金虫をぶら下げる位置探査法も、どこかわざとらしい――。

なのに、読後感はすっきり、後腐れ無い。

彼が読者に伝えたかった事柄は、自らの詩世界原風景だったようだ。数少ない登場人物達も結構激しくやり取りしながら、心理面では至極日常的感覚に終始して見える。

設定自体、身近な未知領域への冒険談だか、それらしい煩わしさが逆に、救いの効果をもたらす。――これは、都市空間内が作品舞台である場合の、危うい人間関係と凡そ対照的――。

また、〝もうひとりの主人公〟――黄金虫一匹が、話題つなぎに結構活躍し、キャラクター性を重ねる事で、作者と自然生物界の馴染み良さが示される。

暗号解きは、英単語文字中、最も使用頻度高い「e」を鍵として始まる。

他所場面からの、然《さ》したる導入伏線やヒント・きっかけ無く、いきなり言語学と結び付ける手法は如何にも詩人らしいし、そうやって文字発音と直接触れつつ、読者側もたっぷり「言葉漬け」になり、或る種陶酔感すら得られる。

そもそも言葉、そして文字とは何か――次第次第、謎の具体的中身が証される過程と共に体験すると、それら暗号さえも、情報伝達用の点・線模様に見えながら、全く自然の生き物と同じである事をうっすら理解できるのだ。

極めつけは、証文通り宝物が、実際ザクザク現れる筋書きだ。勿論、読解作業が正しかった事を意味するが、私は、ポー自身が一般世間よりも、そうした「詩世界」内でこそ平穏安泰に暮らせる人間――との意思表示を読み取る。

同作は、ポー文学に珍しいハッピーエンド・スタイル。彼個人の境遇や、精神病理からちょっぴり離れた流れとなる楽天性は貴重だし、「『この世』ならぬ美しいものへの憧れ」

が奇しくも結晶した一例であろう。

おかげで、私も中学生後半以降、ごく断片ずつでも自ら物語を書きたい志《こころざし》が、ぐんぐん高まった。

文学少年並みに、古今の名著ばかり百冊程読んだりした訳でなく、「小説とは何か」が実のところ、まださっぱり分からない状態。

そんな私に、ポーの『黄金虫』は、取り分け頼もしい創作模範となった。尚かつ、将来へ向け「美しい詩世界」をも、心奥にもたらし、根づかせてくれた事は感謝に余り有る光明だった。

3

高校入学前後あたりを境に、私の日常生活観は著しく変わった。

小・中学校を通じて付き合い良かった例の親友とも、中学三年のクラス替えで離れると、そのまま縁遠くなり、他方、受験勉強に何かと気を取られる時節。

とても特定大学までターゲットを絞《しぼ》れないものの、できれば「国公立」の一画へぶら下がれるよう、頑張らねばならない、と。

実際、昔と異なり、日頃努力した分、成績も上がり、取り敢《あ》えず一年後、地元県立高校へ晴れて入学。

また、そこで浮かれたり油断せず、予習・復習に勉強ペースを守り、一学期成績も先ず先ず――「中の上」を確保できた。

以前、長い間、劣等生まる出しだった自身が、クラスで平均レベル以上に評価された分、心配性な親をもっと喜ばせたくなった。

「やれば、できる」――を実証すれば、信頼感から、大切な家の営みでも、私を重んじてくれだす筈――。

成績向上が数字で固まるにつれ、普段、家庭内の空気は自ずと軽く弾み、今後へ向け、あらゆる可能性が本当に開けてくる心持ち。

「遊び」を返上して勉強時間に当て、学課成績が少なくとも現状維持できるよう、「優等生もどき」を演じる役割が生き甲斐《がい》と化していた。

あまり遊ばなくなった一方、芸術鑑賞等、情操発達は本物だった。

音楽面の「邂逅《かいこう》」に近い出会いが巡ってきたが、ずっと後で詳述させて貰おう。

学校内でも、成績良否に拘らず文科系授業には、どんどん意欲が進んだ。

現代国語教科書に載る近代日本小説の抜粋文から学ぶ要素は沢山有り、己自身を客観視しつつ作者と接する姿勢で読める。

先生に「教え込まれる」のでなく、「一緒に考えよう」と持ちかけられるような大人扱いが、新鮮な学生気分の特徴だった。

古典授業は、もう一つ取っ付きにくかったが、凡そ例外的なのが「漢文」。

これも青春期の、「全生涯的」と形容したくなる極めて大切な出合いだった、但し「漢詩」に限って——。

『源氏物語』や『枕草子』に代表される日本古文と異なり、漢文が正規授業で扱われるのは、高校が初めて。

「鴻門之会」「四面楚歌」等、戦国時代の歴史物語を前に、何十何百も並ぶ長大な漢字列の一行一句、多くは漢和辞典で意味・発音共調べ、加えて「レ点」や「上下点」に従い絶えず語順変更し、送り仮名も付けたり——訓読みへの改め作業が先ず、ひどく面倒臭い。

物語自体が、どれ程心奪われる壮大さでも、正直「四面楚歌」の悲劇的感動に読み浸る余裕など持てない。

「イズクンゾ」「サキンズレバ」のような、あまりに古めかしく日本臭い語り口を漢語原文に宛《あ》てがう判読法が、果たして適切だろうか？　これは真の翻訳ともなっておらず、同じ漢字文化圏故、たまたま可能だった擬装・改造でしかない。

それが成功したとて〝名和文〟とみなす訳に行かないだろうし。とにかく無駄骨ばかり背負わされる読み具合。

ところが、それら長文の狭間で時たま登場する漢詩と接した途端、いつも気分一変した。生《なま》の原文から、何かがよく分かるのである。

「簡略文章だから読《よ》み下《くだ》しも楽」という程度のものでない。

それらを書いた個々人の心模様まで、た易く一情景を成し、記憶されていきそうな――どうやら、私の神経波長とぴったり合う……。

通常、一行に五字又は七字、及び全四行（多いものは十数行まで）の定型様式。

大体、東晋《しん》から唐へ至る中世初頭頃の中国各地が舞台で、主な作者は元々官吏や学者、宮廷詩人だった上層階級ながら、いつしか流浪漂泊の隠者となり、庶民同様に余生を送った人々も少なくない。

詩作では、日常生活上、自ずと湧く細々《こまごま》した感慨や再発見のみならず、離れて暮らす家族を想い焦《こ》がれる望郷の念、また戦地へ赴く友を見送る惜情等、一生に一度有るか無いかの非日常場面まで、幅広く題材として盛り込まれる。

それら多くに際立つ特色は何より、自然描写の美しさ。

〝花鳥風月〟を、木目細かく語ってまとめる優雅な一品も有るが、例えば運命的別離で、当事者間の僅か異なる立場・意識が、天候に反映したり――単なる叙景をはっきり飛び越え、見事に抒情背景と成り得ている。

個人心理と、大地の生命現象や空気・光が、「詩情」の下で調和した一体感なのだ。

私が漢詩に対してのみ、かなり噛み合わせが良かった理由は、大きく二つ挙《あ》げられる。

一つ——先述した「訓読み記号」で全面改造を要する漢文判読法が、ここでは影が薄い事。レ点や上下点、送り仮名は相変わらず伴うものの、さ程気にならない。

それより、最少限度に抑えられた文字数の、簡潔この上無い一定様式が、見た目に即、読み易い。この規則感は、きっちり格子状街路に区切られた如き折り目正しさ、一字一字の独立性を先ず、読者に印象づける。

加えて行毎、文字下に開く余白が、何か「見えざる言葉」をも想定させ、含蓄深い。同じ漢字民族の好誼《よしみ》か、なまじっか語意が通じるため、ひと目で、作者心情との間にパッと共有空間が開ける。〝原文の血〟は争えないところか。

無論、スラスラ読める訳でなく、現代語訳に助けを借りた上の話。

これは漢字の持つ視覚的強みにもよるが、たった一文字内の意味表示が抜群であり、沢山並べられるより、むしろ数少なくまとまる方が説得力を帯びる。

「春望」（杜甫《とほ》）の一行目を、

「国　破れて　山河　在り」

と読んだ場合、或る歴史的真理を確認するに止まり、だからどうなのか？　私なら問いかねないところ。

片や、

「国　破　山　河　在」

と、五言（文字）の枠組みに従い、捉え直せば、そうした歴史的真理を確認し、はかなく割り切れない表情で眺め入る作者パフォーマンスまで思い浮かぶ。

戦乱荒廃風景は、悲劇の動かし難い証《あかし》なればこそ、詩聖杜甫にとり、抒情風景詩「春望」の、メインテーマとして迎えるにふさわしい〝名優〟でもあったろう――。

もう一つ。

漢文教材では――ここが、詩と長文の大切な相違だが――後者が十中八九、ずっと昔起きた、様々な史実の記録らしく、過去形表現なのに対し、詩の方は、殆どすべて現在進行形で書かれている点。

即ち、それらは「今、起きている出来事」として、我々の脳裡に情景をもたらす。惜別《せきべつ》の宴《うたげ》であれ、日常細事であれ、その性質は変わらない。題材が生《なま》の状態で、読者の前に登場する……。

我々は二十世紀・二十一世紀の日本で市民生活をしながら、漢詩に触れ、理解できた途端、中世初頭――東晋や唐の時代空間へ、ポーンと移動してしまう。

しかも「タイム・スリップ」等といった特殊さでない。百パーセントいつも通りの己自身でいながら、漢詩作者本人の心意気とつながる状態を意味する。

モダンな日常感覚で、東晋や唐時代を覗き見るのも良かろう。

しかし、詩句というごく限られた範囲で通じ合い、中世中国の大地が、例えば二十世紀日本へ、そっくり移ってきたなら？　どれだけ新鮮だろうか――私は青春期、まさしくそんな夢想世界を、たっぷり満喫できた。

4

新しい学校生活は、「快適」の二文字だった。誇張するなら、大学生世代も含め古今東西、あの十五歳時の私程、学校環境そのものに芯から感激した者はいないのでは？　――そう思える位、あらゆる条件が身の丈に合うレベルだった。

入学試験当日からして忘れられない。

平年よりずっと寒い春の朝、最初、うっそうと植え込み繁る前庭を進み、正面玄関を少し覗く――初対面の高校名が、金色で一文字一文字、まだ低いが鋭い朝陽をいっぱい受け、赤っぽく反射する輝きは象徴的だった。

知らぬ内、数人集まった受験生達と、無言で連れ立ち、たまたま奥の中庭まで入ってしまったところ、学校外と比べ、別の国籍を与えられたかのような錯覚すら催す。

通路（土道）・花壇に真っ直ぐ縁取られた五十メートル四方位の中庭は、一面芝生。奥――東沿いでは、小池周りに桜や貝塚息吹の大木が群れ合う。

北・東・南三方から、両側二辺が長い「コの字」形に取り囲む校舎は、古めかしいネオ・ゴシック調建築。まるで外界と一切、空気を分かつ大城壁に見える。裏正面——東側を、ひと際高く占める大講堂部分の黒影——中庭へ低く差し込む眩《まばゆ》い朝陽との全面コントラストを成す——。私は、心身内部まで校風に浸《ひた》され、染め上がる巡り合わせに興奮気味——これから受ける入学試験なぞ付け足しでしかない構え方だった。

東西二段に分かれるグラウンド間は、高さ十メートル位の斜面に、松がびっしり、逞しく枝張り、そんな中、細長い急階段二本で真っ直ぐつながっていた。
また、北に商科大学、南に商業高校——と、いずれも県立の、かなり敷地広い三校が固まって並ぶ文京地域。隣同士、人も行き来できる。

我が母校より一段土地高い大学との間の、巨大な金網フェンスが殆ど目立たない程、境界斜面を樹々が埋め尽くす。下グラウンド沿いあたりでは、どんどん幅が広がり、立派な山林と化すが、そうした箇所は三校間で幾つも見受けられた。

バラエティーに富む地形を活用した校庭、建物の規模やひなびた色合い、山林密度、また周辺地区の風情まで見事に組み合わさり、どこに居ても安心できる独特なキャンパス空間——。

放課後、広々した二階図書室の、明るい窓際でのんびり寛《くつろ》ぐ時等、生理的に自宅内の感覚と何ら変わり無く、有り難い。

〝居住環境〟の良さは、代々の先生・生徒達誰もが感じ、語られてきた特色らしく、気持ちの緩《ゆる》みを軽く戒《いまし》める際に、高校名「星陵《せいりょう》」を当てた「星陵ボケ」なる言葉が有る事を、朝礼で教えられた。

珍しく香り強い校風が、県立でありながら私立大学としか思えない位、懐深いゆとりを、そこの住人達にもたらしてきたようだ。

――校内に留《とど》まらない――。

古く天井高い校舎四階で、大講堂入り口横から、すぐ北へ、細い階段を曲がりくねって上ると、屋上へ出られる。

大変、人気《ひとけ》少ない。

振り返ったら南側、殆ど真上に向け、まだまだ高く講堂部分の壁がそそり立ち、しかし他は全方位、遠近あらゆる景色が、手に取れそうな詳しさで分かる。

具体的には神戸市内の西部一帯――丁度、昔の「播磨国《はりまのくに》」と重なる領域が、ほぼすべて見渡せる感じ。

鉄道が便利良い海岸沿い市街地区から、路線バスで奥へ十五分足らずの距離でも、かなり高台に建つため、当時、隣り合う大学の最上部（時計台）以外、眺めを一部遮《さえぎ》られた記憶も無い。

南へ向かうバス道は細く長く、海沿い市街地まで延々続く下り坂のみ。周りの、緩急様々な斜面や丘の上に、昔から住宅が沢山へばり付くベッドタウン地域で、「準都会」と呼べそうな体裁だ。

しかし、他の三方面は対照的。

すぐ西方が、地名も「陵」の文字を持ち、丘全体、市内有数の厳かな「墓地公園」となっている。

「黒々」と思える程、生い繁る松により大変緑濃いが、地肌は、やや赤っぽく明るい花崗岩質。所々、松林との乾いた斑状を覗かせ、ピクニックに立ち寄りたくさせる。

また、中央の南麓部分で、清流一本を抱いて、滑らかな岩肌面が剥《む》き出しに組み合わさった小渓谷も秘められている。

墓園から北寄りは、一八〇度以上、ずうっと遠方まで視界が開けた印象——緑また緑の〝丘陵平野〟が主役だ。

東播磨穀倉地帯の一画でもあるが、勿論、田んぼは一切見えない。各農村を仕切るように、あちこち出っ張って細長く延びる丘陵群の頂のみ、幾つも重なって眺め渡せる。

近郊大平野のど真ん中に、古来「雄」「雌」の対名を冠し、高さ・形・大きさ共似通った小山が、「大和三山」よろしく絶妙な間隔で並ぶ有り様も、現地より十数キロメートル離れたこの高校屋上にてこそ、バランス良いシルエットで確かめられる。

〝夫婦《めおと》二山〟から東へかけては、海抜五百メートル級の北神戸山地、そして千メートル近い六甲山や摩耶《まや》山方面まで——丘陵平野を取り囲み、稜線の青黒い影が遠く連なって横たわる。

〈山容も、色々有るものだ〉

と、改めて感じつつ、尚、辿り続けると、それらは、大廻りした角度で段々こちら側——西・南方向へゆったり延び続け、やがて六甲山系西端へ至る。そこでも、我が高校屋上から約四キロメートル向こうの話。

高台同士のため、対面する山体は案外、間近に感じられ、地肌や樹々も見分けられ出す。海水浴場「須磨《すま》海岸」から直接せり上がるような、その分かり易い二山は、源平「一谷合戦」で知られた鉢伏山《はちぶせやま》・旗振山《はたふりやま》——麓《ふもと》の私鉄駅から鉢伏山頂上へロープウェイ、二尾根間をリフトが、昼間行き来する観光名所。

同地がまた、旧「播磨国」「摂津国」を分ける丁度境界とされてきた事も感慨深い。

私はむしろ、もう一景《ひと》色奥の北方で、三峰仲良くそびえる痩《や》せ尾根群——横尾山《よこおさん》に、たまらなく惹かれた。

花崗岩質。淡く赤味がかった岩肌が、各山頂付近の至る所に現れ、緑濃い森林との斑《まだら》状が美しい。尖《とが》った稜線も中央尾根が一際《ひときわ》立派に目立ち、南九州の霧島—高千穂峰そっくりな形で、愛称「須磨アルプス」を誇っていた。

学校からすぐ北へ、程近い丘陵地帯は、昔からゴルフ場としても有名だ。こちらは広い芝生斜面と松林に、緑の濃淡が所々斑《まだら》状を成す。

暇《ひま》な休憩時間中、毎日のように私は屋上へ上がり、大地と空の息吹を体内、そして心内隅々まで取り入れ、呼吸する事ができた。

「最初ならではの新鮮さ」かも知れないが、あの期間こそ人生で最高に幸せだったと、今でも回想する。

そう信じさせた条件は、何より校風の自由さ。

特に一年生時代、先生達の態度が本気過ぎず、どこか捌《さば》けていて、新入生を大人扱いしてくれた心象が残る。

当時はまだまだ日本中、大学紛争真っ盛り。学生達が絶えず団結行動し、多くは、何かにつけ教職員を敵側とみなし、自己主張する「反抗のための反抗」と化していた。

各高校も相当影響されて、生徒会の鼻息荒く、先生達が少なからず気遣いした面は否めない。

只、私は、そうした狭い緊張関係と異なる次元に気づいた。

先生も生徒も、この幸せな校風に抱かれた以上、枯れ果てぬよう将来へ、守り継ぎたい気持ちがお互い伝わり、そこから醸《かも》された意識だろう、と――。

生徒間で、先生に対する露骨な悪口を聞いた事が無い。たとえ誰それが言い争ったりしても、不満の矛先《ほこ》は事柄のみに向けられ、人間同士は結局、軽く許し合えるような感覚。いつも程良く親切な先生達に応える姿勢が、自ずと備わり、皆、総じてお行儀良い方だった。

私も詰《つ》まる所、学校生活を、生涯の記念として輝かせたい願いに支えられて過ごした。それは、厳しい叱咤激励の中、競争し、順位・点数で一喜一憂しつつ、三年間あっと言う間に終える「受験校」的な張り合いと正反対。

志《こころざし》から、いつしか「大学」の二文字は消えていた。今、ここでの毎日が既に、「学生生活」そのものだった。

受験勉強を「道半ば」で止《や》めてしまう事になった。さらなる上級進学を予定するシナリオが、全然浮かばない。

同校こそ、私にとり最後の学び舎《や》である事が、なぜか、定められた明白さで納得できた。元々の学力が並外れて優れている訳無く、いや、ずっと平均以下かも知れないのに――。

成績に縛《しば》られず「己の青春人生を輝かせる勉強」へと舵《かじ》を切り替えた私――当初、極めて要領悪く、おぼつかなかったが。

一体、何事が、新たな生活目標と成り得るだろう？　……。

高校生活にて暇な時間、近く・遠くに、懐深い山野と対面しながら過ごす内、私は、そうした自然世界への関心――いや、期待感が恐ろしく高まっていた。

実際、一年生一学期末頃、たまたまいつもの通学路と逆に、北向き〝山廻《まわ》り〟で下校・帰宅した事が有る。

カラッと晴れ渡った午後。

隣の商大前から、まだ知らない道をどんどん踏み出し、遠距離輸送の幹線自動車道を横切ると、そこはもう、のどかな町外れ。

誰一人いない急な草地斜面を、足の向くまま下り切った所、明るい谷間となり、静けさはさらに増す。ゴルフ場方面から流れて来る細流を真ん中に、乾いた荒地が、東西細長く連なっていた。

表面のみサラサラした、硬めの赤土質。

そこで、一部がごく浅い澄んだ小川内を覗いた時、水中に実に多くの、真っ直ぐスマートな魚影を見つけ、信じられない心境となったのである。——それらが子供時代よく親しんだメダカなら、満足し、そのまま帰宅できただろう。

しかし、似て非なる細長さだった。恐らくモロコかオイカワの幼魚——過去、私自身は成魚の側面体形を、図鑑でしか見た事が無い。

ここらあたりで相当珍しい魚種が、とても不相応な浅い流れを、我が物顔にスイスイ群れ泳ぐ。水路から隔《へだ》たった、自動車タイヤ痕《あと》としか思えない窪みの水溜まりにまで、数匹入っているのには全く目を疑った。

しかも、「居て当たり前」のメダカは皆無――。

驚いた私は、後日、再び訪れ、それらオイカワらしき幼魚含め、他何種かの小魚を次々網で掬《すく》い、早速、家の水槽で飼う事にした。


この頃を境として私は、長らく遠ざかっていた虫捕《と》りを思い出すかに「魚捕り」への熱意が浮き上がり、日を追う毎に、広がるばかりであった――。

通常、魚捕り方法と言えば断然「釣り」。

それまで、あまり実地経験無い魚釣りを、たとえ趣味でも本格的にやってみたくなる。

一年生夏休みには、もう、そちらへの意気込みばかり、抑え切れない程、心に充満し、何か、生き甲斐すらも左右しそうに思える入れ込みようだった。

――将来、漁により生計を立てたい――。

本気で、そう考え始めた。但しモデルは、沿岸漁業の「漁師さん」でもなければ、プロ顔負けに新聞・雑誌から持て囃《はや》される「太公望」でもない。

また、狙う獲物はタイやヒラメ、フナ・コイの類にあらず、人里離れた山奥の沼に棲む体長一メートル以上の大ウナギや大ナマズ――とことん現実離れした怪魚＝「主《ぬし》」でなければならなかった。

勢い、毎日お馴染みとなった、山また山埋め尽くす〝北方丘陵平野〟に、そんな秘境が必ず存在する――と、強く信じてしまう心模様。

5

元来、あまり得意でないにも拘らず理科系教科を有り難がり、頑張ろうとする傾向が強かった。

高校二年で「物理」が始まると、数学同様、公式ばかりの読み辛い教科書に、一応しっかり取り組んだ。それは、やはり同じ二学年から始まる「倫理社会」授業で、ウエイト大きい「哲学」とも相対的な一面を教えられた所為だろう。

しかしそれまで一学年の間、最も人生的意義を私にもたらした教科は、今振り返れば漢文（漢詩）だった。秋半ば頃（一年生二学期）、新たに授業で登場した一詩人――成り行き的にこれ程、稀な出合いは少ないかも知れない。それは、私と漢詩との「打てば響く」縁を取り持つ役、とさえみなせるのだった――。

高校入学以来、文科系でも漢文授業には、十分相性良さを見込めた。

決して、自在な読解力が発揮できる分野ではない。前述通り、『史記』（「鴻門之会」や「四面楚歌」含む）の長文読《よ》み下《くだ》し作業もうんざりさせられた。

一方、現代国語や日本古文だと、たとえスラスラ読めたり、創作意図をはっきり掴《つか》めても、成果はあくまで「勉強の一環」でしかない。

ところが、漢詩になるとなぜか特別扱いし、題材内容のみならず、押韻等の表現形式から、鑑賞意欲をそそられる。

詩作品をどれだけ数多く、各々全文きっちり暗記できるか――は、正直、関心薄い。

誰しも、青年期は「第二の誕生」とみなせる位、人格形成に方向が定まってくる。大人として再出発するに等しい内面の変化だが、大概、まだ世間と直接関わらない分、特定芸術に心奪われたり、しばしば常軌を逸した発想で凝《こ》り固まり易い。

私の場合、元々、情緒面で音楽の影響が大変大きい。「学ぶ」よりも「味わう」色合いの濃い漢詩は、それと似た作用をもたらした。

一年生二学期、漢文授業で初めて知った詩人――陶淵明《とうえんめい》――その名が、後々も私の脳裡に焼き付いてしまったのは、なぜだろう?

一学期と比べ、何ら新しい教材が加わった訳ではない。軽く、厚み少ない同じ教科書一冊――。

春に貰った際、掲載の画質古いモノクロ写真や挿し絵を追い、いつも通りザッと先読みしていたが、わざわざ詩人名まで注意せずじまい。

彼の残した小品一編が秋、初対面の私をフワッと包み、一瞬、微かな酔い心地に傾かせた？

ともかくそれ以来、次第次第、同じ漢文テキスト内でも他ページすべて軽く読み飛ばす位、感じ入っていた。

〝一編の佳品〟とは、『桃花源記《とうかげんき》』。

詩人名「陶淵明」にも、無条件で好意を抱く。李白や杜甫、白楽天等の権威者イメージと、やや異なり、大物なのに、名声に縛《しば》られないようなアウトサイダーぶりが頼もしい。「陶」は「陶然」に通じるし、「淵」「明」は、波静かな深場へ差し込む淡い自然光を連想させる。

彼一人の名が、我が心の湖を、思うまま泳ぎ始めた。私の感性と最も合う詩聖――考えるより先、そんな人物像が、どんどん出来上がってしまう。

原動力は『桃花源記』一作のみかも知れない。

自然情景を人一倍愛し、描こうとする詩風からして、彼が語る「桃源郷（桃花源）」なる究極の理想世界が、山紫水明と切り離せないのは明らか。

本文には桃源郷の成り立ちまで、歴史的経緯も踏まえ詳しく述べられるが、もし個人感情を覗けたら、

「己も、桃源郷へ赴《おもむ》いて一切の憂《うれ》いを忘れ、幸せに漬かり、住み着きたい」の一念だろう。

まだまだ毎日、あらゆる世間的煩わしさと共に過ごす中、もう、心だけは一足早く目的

地へ至り、楽園を先取りした調子で、優雅に書かれている気がする。

陶淵明の詳しい伝記で経歴や人柄を知り尽くすより先、「桃源郷」のたった三文字が、すべてを決定した。

彼は、李白や杜甫・白楽天程ポピュラーな巨匠であろうとなかろうと、漢詩人中で随一、桃源郷の何たるかを、骨の髄まで心得た人物——自然派詩人、また「隠者」に準《なぞら》えられる彼の生き方からも、それは身を以て証《あか》された筈。

活躍年代が歴史上いつ頃であるかを問わず、陶淵明を、言わば仲介者として頼りながら、私は地上の極楽＝桃源郷への関心、そして憧れが、日を追う毎、著しく高まった。

前々より、漢詩を目にすると、堅苦しい学習意識も取れてほぐれ、各作品それぞれの詩世界に心遊べる状態だった。

昔話的な過去の社会・文化を覗くのではなく、あたかも気づかぬ内、中国中世王朝の貴族衣裳にパッと着替わり、〝何とか楼〟の石畳や渡り廊下で佇《たたず》む如く——。違和感0《ゼロ》。当事者体験で、詩句内容を理解したに等しい立場が与えられる。

私自身、漢詩の主人公（作者本人）に人格を預《あず》けており、主観的ながら己の解釈——即ち、作者心理に基づく正しい解釈——と、迷わず枠付けがち。

段々それが、「時たま」の遊び事でなくなってきた。別断、民族衣裳で早変わりしなくても、当時（二十世紀後半）の「現代」において、そのまま中世中国大陸とつながる道の存在が垣間見え出した具合である。


日常、学校生活に不思議な香り――いや、光を帯びている気配が濃い。

私はそこを、「学び舎」以上の、何かもっと素晴らしい、未知な王国と接する境界区域にみなしたいのだった。

学校屋上から、北へ眺め渡せる自然一色の絶景へ向け、秋以降、様々な期待感が重なっていた。

青っぽく、まだ十分顔を出し切らない朝陽に透かされたような稜線の麓で、こんな村や町が広がっているのか――と、思わず想像してしまう。

丘また丘を越えた遥か向こうだけに、そこが日中、埃《ほこり》だらけの交差点を絶え間無く各種自動車が行き交い、駅や盛り場、ショッピングセンター・銀行・官公庁・学校が雑然と集まる全国一律な構造――では、とうてい許されない。

先ず、大半を木造家屋群から成る町並みの中央で、典雅な楼閣の影が、まだ薄い朝陽に霞む。

そこからずっと町外れでは、四角く広い広い池――周りを取り囲む並木道、散歩する市民、荷馬車に収穫野菜を山積みで運ぶ行商人――と、千年以上遡《さかのぼ》った昔、日本か中国か見分けがつかない地方農業都市の営みが、鮮やかなまで眼に浮かぶのだった。

決して大勢でない通行人も、情景にふさわしく、往来のど真ん中をゆったり歩ける。

人間文化は脇役に徹し、古来、近郊に息づく山野を守り、他方、たっぷり収益を得て栄える社会——。


ひと度、舞台設定が固まると、今度は、そこで住む人々の間に大なり小なり、生活と絡んだ物語が色々生まれる。

高校屋上で、遥か北方、朝空にとろけそうな稜線をしょっちゅう見つめ、十五歳の私はいつしか、その筋書きへとのめり込んでいった。

現代と中世が相当程度混ざり合った——しかし不釣り合いとならず、主人公の生き様を十分引き立てられる環境——実際有り得ない風土故、却ってそこに同化し、根づいてしまいたい私。ますます自覚が深まり、〝郷土愛〟すら抱きかける。

同町民達が紛れなく、心内に「桃源郷の実在」を堅く信じる人々である点は確かだった。いや、同町自体、「桃源郷地方」の一画かも知れない。

経済面は、自給自足中心型。貧しさ知らず、豊か過ぎない身の上に、皆自ずと満足できる暮らし方が保たれてきた。

郊外でも、牛や羊の放牧等行われず、専《もっぱ》ら淡水魚類に蛋白源を求める食文化らしい。それでちゃんと〝台所〟が成り立つ訳だから、申し分無い。

——当時、私は〝魚食教〟になりかけていた。

元々、然《さ》して好きでない中、日本人にとり魚肉料理こそ、陸生動物に比べ一般的で、味・栄養・摂取量のバランス良く、健康体を築ける――と、新しく図書室の図鑑類を読んだ知識から、そう決めつけた。

何より、写真図版に載る多種多様な魚類が、如何にも美味しい透き通った赤身や白身を秘めて見えたし、日常それらを本格養殖し、代々、ご馳走レベルで振る舞ってきた町の特産なら、手放しで敬愛できる――。

夏前後より、魚捕り欲が物凄く盛り上がる心理に翻弄《ほんろう》されていた。

近年の開発優先、小うるさい都会生活と訣別《けつべつ》し、どこかどデカい湖畔にて、時たま大魚を釣り上げたりしながら、半農半漁――過不足無く、生涯暮らしてみたかった。

6

漢詩――陶淵明――温暖な南中国型山水風景――稲作・魚食の里――こうした諸要素から導き出される私流「桃源郷観」に、地理的な実在モデルが無かった訳でない。

兵庫県＝関西地方に長く住む人々が思い浮かべる「大湖」と言えば当然、面積日本一の琵琶湖だが、――私は〝第二の湖〟――霞ヶ浦に、想像意欲をそそられた。

水量極めて豊富――利根川沿いの下流域を大きく占め、北浦という細長い別湖と丁度、一対の位置関係。河川も合わせた三者に、天然調整湖的なつながりが認められる。

また、さ程遠い距離を隔てず、同じ関東平野ど真ん中に手賀沼《てが》・印旛沼《いんば》・牛久沼《うしく》等、特徴有る独立湖沼も点在し、地図から察する限り、元々、あたりが潤《うるお》いに満ちた水郷地帯である事は、よく分かる。

古来、名所・旧跡を沢山擁《よう》し、大津・彦根・長浜……と、湖岸沿いを活動的な中都市が居並ぶ琵琶湖に比べ、霞ヶ浦一帯はむしろ、人社会の開発を拒み、それこそ葦原や水辺のみからなる自然王国の如く感じられた。

そう捉えるヒントとして、同湖には何と、中国の歴史的〝四大家魚〟――ソウギョ・コクレン・ハクレン・アオウオが全種、泳ぎ回っているのだ。

いずれも、成育すれば体長一メートルを超えるコイ科の食用魚。終戦間際――一九四三年頃、ひどい食糧不足解消のため、国策で揚子江流域より移入され、上手く棲《す》みついたらしい。

本場中国では、二メートルサイズも珍しくない、との事。

随分スケール大きい新顔だが、それが、なぜ霞ヶ浦周辺にて公然と試され、成功したか？

やはり、中国江南の大水郷地帯にどこか通じる地理的条件が、実際息づいているから――としか考えられない。

殆ど図鑑写真・解説ばかりの俄《にわか》読書により、拵《こしら》え上げた我が新しい霞ヶ浦イメージも、巨大怪魚が葦原寄りの水底でうごめく、謎めいた秘境として独り歩きし出した。

もし、岸辺から、どこまでも波頭低い湖面を見つめ続けるなら、遠景＝水平線は、果て無き揚子江の影を宿し、淡い青灰色に厚く霞んで感じられた事だろう。


——学課勉強は、完全停滞してしまった。

数字として現れるまで少し間が有るものの、二学期末の通知簿成績が軒並み下がっている事は、見せられなくても分かる。

どの教科も、真剣に取り組めないから当然の話。

一学期のように日頃、手堅く、理解度を自ら確かめながら、学習行程を組もうと努める態度でない。

私は元来、神経集中が緩《ゆる》く、とにかくひどい散漫性だった。今思えば幼時より、先天的な発達障害が有った、と確信する。

絶えず、宙を掴むように気分が定まらず、他の児童生徒達の間だと、腰を落ち着けて学んだり、遊んだりするのは中々難しかった。

それを「このままでは大変」と、深く反省し、努力のみで身心共、授業に縛り付け、教科書や練習問題と向き合い、青年期に入る頃ようやく、何とか人並みの成績に達した。

そして、大学合格の目標を達成すれば、この上無い親孝行になる——と、気負いも強かったが……。

先ず、高校一年生夏休み、ふとしたきっかけから、それが行き詰まった。努力する値打ちが失われたのである――親が、私の勉強方法に（またもや）干渉したから。

小・中学校時代と比べ、目覚ましく学習効果が上がりつつあり、遊び時間も惜しんで頑張る私に、親は感謝してくれている――との自負が強かった。

ところが、殆ど全力投入で、いよいよ軌道に乗り始めた自前勉強方法そのものが、実は問題視されていた。

――何たる誤解！　……。

「子供の学歴は、親の学歴に比例する」と、どこかで聞いた覚えが有る。分かる気がした。

一途な励みを労《ねぎら》われるどころか、半ば注意される奇妙さにあ然となった私は、「親孝行のための受験勉強」熱もすっかり醒め、夏休み中、予定していた補習参加を一切やらず過ごした。

そもそも無理やり神経集中させる学習スタイルのため、感情面の負担が大きい。

もし、親が軽く褒《ほ》め、私の事は私に全部任せてくれたなら、学習生活も持続・発展し、二年半後、どこか国公立大学へ入れる可能性は有ったに違いない。

しかし、もう、どうでも良くなった。

一方で、学園環境の快適さが私に、恐らくこちらこそ天分と思われる〝芸術熱〟をヒートアップさせ、人間関係に左右されない向上心となり、どんどん成長しつつあった。

想像ばかり先行するものの、「魚捕り」をきっかけに、のめり込んだ自然世界指向――そこを舞台として、繰り広げられる物語の筋が次々湧き上がり、自ら酔いしれ、感動せずにおれない。どう手早く考え上げた筋書きでも「名作」の趣《おもむき》を帯びる――そんな、非現実的過ぎる青春生活。身の上や周囲に先々、とてつもない状況変化（好転）を予感し、それがまた唯一、心の拠り所であった。

親による学習の矯正は夏休み以降、二学期中も、度々繰り返された。

受験勉強なぞ早々と頭から消えた私にとり、それは今や不愉快以外のものでなく、相手の粘っこい意地を量《はか》りかねる。理解し合える接点が、元々無いのかも知れなかった。

――将来、この家では暮らさない――。

人生観に、或る方向性が芽生えた。家族、あるいは社会人としての役目を度外視――私は、たった一人で生きていける自信が有った。恐らく現実のものでない甘く鮮やかな光が、心を隅々まで包んでいたから――何事も恐れなくしてしまう素晴らしい輝き。

単なる夢であろうとなかろうと、己を芯から元気づけてくれる以上、そちらこそ、選ぶに値する本懐なのだった。

秋も終わりかける十一月末日の夜、二学期に入り何度目かの〝学習指導〟を受け、すっかり呆れ果てた私は、自室へ戻ると、はっきり意を固めた。

──これから二年近く、「青春人生のためになる学課勉強」のみ頑張り、そこそこ成績も残し、最終学年の夏休み前、家を飛び出す──。

二度と戻ってこない前提の旅──「誇り高き家出」を志した。

普通なら、椅子を壁に力いっぱいぶつけてもおかしくない位、ムシャクシャ苛立《いら》つ一方となる場面。

「心と心」で通じない親子関係が、もう分かるため、無理したくなかった。

それより、大学受験に代わる本物の人生目標が定まった事こそ、祝福すべきではないか？　──この夜が、まさに「第二の誕生」を告げられる節目だった──と、五十歳過ぎた今尚、変わらず述懐している。

夏休み頃では凡そ考えられない心境。

無論、少年時代含め、過去半生から導き出される確かな結論であり、高校入学後の日常行動には、そこかしこ「胎動」を思わせる兆《きざ》しを見て取れたのだ……。

背に腹は代えられず、半ば自棄《やけ》っぱちでドアを開いた真新しい人生計画は、すべて本気。

その、永久に家を空ける程、押し止《とど》め難い行き先とは──「桃源郷」──。

地理的・物理的に到達可能な場所か、否、百パーセント架空なのか？　──一々考慮する余裕も無い。とにかく私が先々、まともに人生を育《はぐく》める適地は他に有り得ず、そこは、高校屋上から北方へ眺め渡せる丘陵平野のもう一つ向こうで、絶対待ってくれている筈だった。

なぜなら、ほぼ毎日、そんな私の顔や全身にたっぷり吹きつけ、青春生活に命通わせてくれる甘い風が、間違い無く桃源郷を古里にするもの、と信じられるから——。

実現性等、具体的な見極めを全部、一年半以上後へ預けてしまい、私の高校新生活は、ともかく再スタートした。

家族や、大方のクラスメート達と次元の掛け離れた生活目標——。しかし、心内に密やかな希望が灯されると、冬休み・三学期中を通じて、日頃の物語想像でも芸術家的な充実を覚え、また四月から、二学年時は、理科系学課中心にかなり打ち込み、停滞中だった成績が一部、クラス上位近くまで持ち直す程。

毎日毎日、禁欲的に気概を盛り上げながら、表舞台を進んでいけた。

7

——高校卒業前後の実態は、「虚しい」の一言に尽きた。

元より大学受験のレールを、自ら外れた身。

三年生二学期初め、教室での終業間際、担任先生の口から、付け足し扱いで一件、軽く告げられた就職試験紹介にハッと思い立ち、間を置かず放課後、職員室へ戻る先生を何とか捕《つか》まえて早速応募。

俄勉強した上、同年暮れ、無事、採用認定にこぎつけた。

社会生活上の辻褄《つじつま》合わせはできたが、既にその時点で、廃人同然と成り果てていた。

一体、何が有ったのか……。

あらゆる経緯を省略し、結論のみ述べると、それは、全生涯的な希望の喪失――「桃源郷」が実在しない真理を、渋々認める辛さだった。

従って結局、〝誇り高き家出〟も行われず、不完全燃焼で高校生活を終えた。

青春期、人間は期待と現実を同一化しがちとなるようだが、私の場合、思い入れが甚だしく、また、そこに全面縋《すが》らざるを得ない切羽詰まった事情も有った。

卒業後も、持って生まれた芸術適性だけは失わぬよう、音楽や文学と、自分なりに関わった。

技巧面のみ拾えば、幾らかずつ上向き加減だったとしても、自信はその場その場で途切れるような有り様。せめて、もっと日常一貫した取り扱いテーマが欲しい……。

やがて数年経ち、文学方面で、主に短編小説を書いて同人誌に載せる楽しみができた。

しかし肝心の「詩」作品は、個性を十分反映してくれない。

書いてみたい意欲も全然足りない。――やはり、〝大目標〟喪失に原因が？　――。

反面、詩の音楽要素のみを至極ドライに扱う発想が身につき、ごく戯れ事として、時々試したりした。

即ち「韻」なるものを、必ずしも語意次第でない文字発音として解釈すれば、複数音素の組み合わせから「言葉音楽」を奏でる事も、あるいは可能か？　――あれこれ考案の末、当時ひねり出した〝メロディー〟を少しだけ思い出し、ここへ並べてみる。

アクト・パムロ・ラフモ・サムホ

バロイ・タピコ・マミヨ・カチソ

レクヒ・テプヒ・ネクイ・ゼルチ

あまり流暢《りゅうちょう》さを持たず唐突・ちぐはぐな響きかも知れないが、大体、以上の要領。

こうしたアイデアが二十歳頃、ポッと浮かんだものの、まだ生硬な理屈に、小さな実技の肉付けするレベルで留《とど》まっていた。

私が高校時代前半、半ば仙人になれる精神生活から、描き上げた将来像は「漂泊の詩人」というキャラクターだった。

あの漢詩世界が土壌である。

李白や杜甫に限らず、多かれ少なかれ彼等詩人達は、理想郷（桃源郷）へ向けた到達願望を抱いて見える。通念上、そこを終着点に据えた漂泊人生だった筈。

果たして、本当に辿り着けた者がいるだろうか？

桃源郷は、凡そ実在し得ない条件下に設定されている。

陶淵明『桃花源記』の場合、一漁師が谷川を奥へ奥へ遡った際、偶然迷い込んだ、原始共同体のような自給自足社会——という話だが、重要なのは、漁師をそこへ至らしめる夢現《うつつ》のプロセス。即ち、香り良い花咲く桃並木の視覚的潤い、そして不可思議極まる気分だろう。

そこが「架空界」の入り口である事を、読者に示す。

もし、単に「奥地の珍しい自由社会」だけならば、作品化されたかどうか怪しい。

確かに政治混乱の中世中国で、万民が幸せに一生送れる安住の地は、宝物と同じ位、貴重だったろう。

只、それを、宗教で絶対視される「天国」のように、半ば祭り上げてしまった様子だ。

天国同様、桃源郷も、いざ風景化しようと考えたら、中々描けるものでない。

先ず、「実在し得ない場所」の大前提が必要となり、また、そこで諸々を司る仮構・虚飾的表現には、やはり詩や説話類がふさわしい。歴史書だと、とうてい噛み合わない。

強いて具体的に、桃源郷観を象《かたど》るなら、そこは「都会の人工的便利さと、大自然の生命連帯を両方併せ持つ社会空間」――が、適当な所？

古今東西、そんな環境は絵空事でしかない。

地方農村住民は元々、身近に長く自然美を享受し、生理面の棲み心地良さには殆ど飽きした上、不便さや貧しさへの嫌悪が根強い。将来も――となれば、都会指向ばかり膨《ふくら》ませる。これこそ、「桃源郷願望」そのものだ。

彼等が、金や地位さえ有れば何でも手に入る都会生活に落ち着いた途端、そこで行き止まり、反面、古里の有り難い情緒的土台まで捨て去っている道理なぞ、予《あらかじ》め想定できにくい。

一方、漂泊詩人達の多くは、既に都会生活を知り尽くし、その効率優先・非人間性から逃れるように、田舎へ移ってきたが、そこは温《ぬく》もり豊かで気楽な中、経済立ち遅れのみじめさも方々ちらつき、胸に迫るものが有っただろう。

若い農村住民の都会指向と比べ、彼らに、「桃源郷」の実在を信じる度合は低い。両世界共、等しく認識してしまった身ならば当然か――。

結果、今度は現実目標としてでなく、むしろ観念的な位置付けの上に「桃源郷」が、浮かび上がってくる。

――都会・田舎問わず、一般世間から捜し当てるのは難しいかも知れない。しかし、絶対どこかに無ければならない。もし必要なら、私が作ってでも……。

とことんこだわり、渇望する。

そうした傾向は、「実在不可能」を素直に受け入れる場合程、より強まり、詩作エネルギーとして働いたりもするようだ。

決して都会生活に飽き足らず、暇潰しの冒険旅行をした訳でない。そこには「現実逃避」の側面が相当強い、と察せられる。行いの動機付けを、やはりきっちりさせたい筈。

彼等が、誰より秀《ひい》でた才能だけでなく、社会不適応の体質から詩作に没頭してしまうらしく思える事はロマンチックだし、後世の我々にも「生き様《ざま》」をさらけ出し、潔《いさぎよ》い問いかけさえ伝わってくる。

詩作には、意義や値打ちがもう一つ不明な事柄まで、踏み込んでいける柔軟さが保証されている。

何か訳の分からないまま、心内で確かに息づく個人的真実を、なるだけ皆々が納得できるよう、言葉表現で以て解きほぐす作業こそ本望――と、私は信じる。

唐の詩人達が、恐らく生涯的希望として、いつか到達したく願ったであろう「桃源郷」とは、もしかしたら「都会の経済力・便利さと、田舎の自由な棲み心地良さを等しく併せ持つ理想場所」ですらない。

曖昧模糊《あいまいもこ》たる題材からでも、特別香り高い詩句を紡《つむ》ぎ出し、人々に読ませたり、自らじっくり味わう内、滞在するあらゆる旅先を「桃源郷」そっくりに変えられる心意気だったかも知れない。

その「香り」は、どうやって？　……と、成り立ちに注目すれば、まだ誰一人見ぬ奥深い自然山野の果て――を挙げる他無い。

そこでは、当時、中国大陸の民衆間に広く知られていた「道家思想」（道教）の影響を抜きには考えられないだろう。

ともあれ、歴史上いつでも、そうして夢や希望を万人の心に醸し出した役割から、私は詩人――いや詩分野に、期待するところ頗《すこぶ》る大きい。

それは「技」の進歩、巧拙ばかり云々される現代芸術界の、一表現手段に留め置けるものでない。造りこそ華奢《きゃしゃ》だが、人類何万年も続く精神生活面において、常々「核」を担ってきた項目である。

真珠の核に準えてもいい。

その価値を、科学的に調べれば調べる程、却ってあやふやとなり、一方それ故、侵し難く、極め尽くせない――人工的でありながら、実は最も「天然」に近い文化聖域の存在を教えられるのだ。

第三部　純粋韻律の誕生

1

詩分野に限って振り返るなら、二十歳代の私は、内・外共、暗中模索以外の何物でもなかった。

第二部終段で若干述べたが、高校卒業前後を境に、詩観そのものも、ゴロッと変化した。

――それは、決して面白い変わり方でない。

とにかく、詩を読みたい、書きたい気概が失せてしまった。

一応、習慣的な癖から、時たま小品を書いており、参加中の同人誌会員に見せたりした。自分では割合上出来に見えるものも幾つか有ったが、正直、中身に乏しい。

高校時代なら、たとえ独り善がりの、作り話めいた詩でもこよなく愛し、詩情に浸って過ごせる感覚だった。そこから発展し、もっと本物らしい題材探しへと、意欲がつながったものだ。

そうした鉱脈的な部分が、青春人生の大幅な狂いから台無しになった一方、「詩原理」への疑問等は、殆ど納得行かず、滞ったまま残された。

世間臭い新人サラリーマン生活では、日常、まともに考える気持ちすら起こらない。

しかし、やがて三十歳代初め、二つの思いがけない発見が私に、詩を、「情」でなく客観的側面から、見直させるきっかけとして働いたのである。

或る時、古本屋で、表紙こそ少し黄ばんでいるものの、中身は文章歯切れ良く、面白そうな叢書《そうしょ》本一冊が気に入って、買い込み、帰宅後、ゆっくり読んでみた。

――『人間ゲーテ』（小栗浩著）――。

それは、偉人伝記ものに多く有りがちな、業績や珍しい周辺エピソードの紹介、エリートらしい才能美化が主眼でない。

ゲーテ自身が残した実生活記録も交えて分析――むしろ欠点や失敗談を、より多く次々焙《あぶ》り出し、容赦《ようしゃ》無く批判する姿勢。

箇所によっては、彼の性格が持つ非人間的な不気味さまで強調され、相当、手厳しい。

だが、それらすべてを補って余り有る魅力も差し挟まれる。

偉人とて、完全無欠の聖人君子であった例《ためし》は無い。確かに生身の人間ならば結局、皆、そうなんだなあ……と、頷《うなず》かせる説得力が心強い。

その作中、部分的に数ページ費《つい》やして載るゲーテ詩が、しばし我が心を、強く引き止めた。

原文（アルファベット文字）、及び翻訳詩と共に、全行カタカナ書きが添えてあったのである。

なぜ驚いたか？　少なくとも私にとり、正式書物で、そうした格好の音写表記は大変珍しかったから――。

通常、外国詩作品の掲載は翻訳詩、及びアルファベット等――原文綴りの組み合わせ、又は前者のみの場合が多い。

ところが、素朴に考えれば至極当たり前な〝フリガナ付け〟を前に、なぜかドキッと来るものが有った。

〈成る程、これなら、原文の響きは、……よく分かるじゃないか〉――。

長年、縺《もつ》れ、固まった状態の意識がその時、解離へ向け、少し動いた心地。

高校時代以来、十数年間、英文読解なぞすっかり遠ざかっていた。昔、授業や、家での復習中、英和辞典と首っ引きだった日々が思い起こされる。

先生からは、「コンサイス辞書を一、二冊読み潰す位、熱心でなければ一人前じゃない」と、冗談半分で諭《さと》されたりした。

――私が持つ英和辞典は最初（中学生頃）、家に有った親譲りの、古い革装コンサイス。手触りは良いが、中身は文字が小さく、結構読みにくかった。

英和辞典である以上、各英単語（アルファベット文字）毎に、意味内容の和訳が数行ずつ付き、十数行以上に及ぶ箇所も所々見受けられる。

慣れれば、詳しい記述がそのまま、国語辞典的な使われ方となる訳だが、問題は、発音欄。

隣り合う原語綴りと異なり、一応、小学校で覚えた「ローマ字読み」できるものの、全く縁の薄いギリシャ文字や、他に数種、不可解な印《しるし》も入り交じる記号表示が、取っ付きにくい体裁で、辞書全ページを牛耳ってしまう。

先生から、一部生徒の発音の悪さを指摘される際、これが正しい基準になっているとすれば、合点の行かない話。

第一、「発音記号の読み書き授業」が、いつ為《な》されるだろうか？

約四十年前、私が中学生だった時代、ここらあたりから、勉強嫌いが一層増えたに違いない。

英語教科書に、どれだけ優れた詩作品が数多く載っていても、原文の正しい響きを学び知る事は、余程、勘や記憶力が良い生徒でなければ難しかっただろうと思う。

『人間ゲーテ』掲載の原文詩を、カタカナのみで読んだ私は、そうした発音理解の矛盾に拘らず、真っ直ぐ向き合える手応えを覚えたのだ。

どこか薄っぺらく、語学授業でなら苦笑される児戯だったかも知れない。安直過ぎて、教育上好ましくない、と……。

古本屋で発見時も、昔の中学校教室を意識し、恥ずかしさすら催しかけたが、実のところ、これ程、合理的で自然な表し方は無い——、我々が、ゲーテ詩を生《なま》のまま味わうため、やはりこれが一番ふさわしい事を半ば体感させられた格好。

詩鑑賞では、文章面の意味内容と同じ位、一語一語発音し、つながり合う響きに惹《ひ》かれ易い。いや、こちらこそ陰なる命とみなせる位である。

即ち、私含め誰しも、文章内容ばかり重視しがちだが、それ自体、或る面「作り事」として成り立っており、様式美を楽しむ世界でもあったのだ。

カタカナ印字のゲーテ詩原文を観《み》て、はからずも気づかされたのは、翻訳で語意が分かるより先、そこに流れる「詩音楽」を、はっきり感じ取れる事実だった。

もし、あの古い英和辞典同様、ギリシャ文字交じりの堅苦しい発音記号がべったり添えられていたら、いかがなものか？

カタカナは、立派な表音文字である。この「五十音」さえ用意すれば、外国語でも大概の単語は書き表せる。

中学校時代、英単語のスペル（綴り）を、ことさらやかましく教えられ、覚えたり、筆記練習に時間を取られた。

しかし、アルファベット文字で正しく綴れたからと言って、正しく発音できるとは限らない。本国では、方言や当て字も結構有りそうだし……。

実際、文字と「意味」は直接つながっておらず、「文字」―「発音」―「意味」の三連構造。取り分け、後二者は不可分だが、前二者がきれいに噛《か》み合うのは、世界広しといえども、我が国のカタカナ表記だけだろう。

背景には、意味内容部門を専《もっぱ》ら受け持ってくれる漢字（ひらがな補助含め）の役割が大きい。

要するにカタカナ五十音は、純粋表音文字として君臨している訳であり、それらにより書き綴られた詩の音楽性は、「純粋韻律」と呼ぶにふさわしい信頼度を有する筈なのだ！……。

こうして、『人間ゲーテ』中の原文詩と出合って以後、「詩の原理」に対する従来認識を改められる方向性が、ようやく見えてきた。

詩の音楽性を、語意と絡ませる創作・鑑賞は、各国文字の文化的性格が影響する。アルファベット綴りの単語や、本場中国で使われる漢字熟語は、見事なまで表意・表音機能を兼ね備え、片や我が国の文字は「表意―漢字・ひらがな、表音―カタカナ」と、機能分担型に属する。

意味内容濃く、かつ響きも良い抒情詩をカタカナのみで書く事は困難だが、反面、響きのみをとことん追求した「音楽詩」（あるいは「詩音楽」）なら、より自由に表現できるのではないか？

――そう閃いた私は、二十歳代初め頃、自らも試行錯誤しながら、幾つか書いてみた熟《こな》れ悪い〝カタカナ・メロディー〟を思い出していた。

2

詩と音楽の浅からぬ縁に関し、第一部からひととおり、おさらいしたい。

そもそも「詩＝音楽」論に則《のっと》って思考するなら、「詩の演奏会」なるものが世間で、もっと開かれておかしくないところ。

純粋な音楽演奏会――所謂《いわゆる》「コンサート」の開催予定なら、しょっちゅう目にすることができるが、詩朗読公演となると、過去私が見聞した範囲で、目ぼしい記憶無し。

大体、そうした催しは単独でなく、舞台演劇や、厳粛《げんしゅく》な行事の途中、雰囲気を盛り上げるため、短《みじか》めに挿入されたりする事も多く、また、悲劇的演出に偏《かたよ》りがち。

「楽しい詩朗読会」と出合う機会が、なぜか無いのだ。これは一体、どうした事情か……。

ところが実は我々自身、ごく身近に、楽しい詩朗読を、浴びる程味わってきた。

他ならぬ「歌」である。

「詩朗読公演」は、〝曲付け〟を経た結果、純粋音楽によるアカデミックなコンサートよりも、むしろ大衆向け本位で発達してきた。

世界文化史から辿るなら、その点、ロマン派音楽家シューベルトの功績は極めて大きかったかも知れない。

彼は、過去百年余りの間、「古典派」巨匠達の手で作曲・演奏技巧が頂点まで極め尽くされた当時の正統音楽界に、詩作品も大幅導入し、新たな題材源を開拓した——と、私は見るのだが……。

その多くは独唱者に、ピアノ伴奏が付くスタイルを取る。ホールでの定期演奏会に効果抜群。ピアニストも歌手も、精一杯音量を出すべく努めるため、聴き手達は圧倒され、半ばひれ伏す心持ちとなる。ロマン派以前、長く本流だった「オラトリオ」等、オーケストラ伴奏と併せた混声大合唱の教会音楽が、よりコンパクトな独唱型にまとまった格好——ともみなせる。

これは、十九世紀の間、近代オペラ等と共に西洋楽壇で花形だったが、段々、作り手層も大衆化した。

二十世紀後半に入り、商業音楽界も国民的スターを多数抱え、クラシックに負けない規模の大都市公演があちこち催され出すと、オーケストラ協演や、グランドピアノをしょっちゅう調達・伴奏できる団体は限られるため、より弾き易く、持ち運びが便利なギターの活躍が目立ってくる。

中でも、音量大幅アップの新時代楽器＝エレキギターは、「ロックンロール」音楽と相性良く、多く若者層を惹《ひ》き付けて止《や》まなかった。

一方、比較的狭いホールや野外会場で、集まった仲間達と、落ち着いた声調のまま唄い上げる「フォークソング」が、世界的に大流行した。

ここでも、楽器はギター中心。但し、電源を要するエレキギターでなく、従来型（主に木製）一本有れば間に合う。

歌い手も独唱（あるいは二、三人で合唱）の傍《かたわ》ら、自らギター伴奏を兼ねる「弾《ひ》き語《がた》り」が一般的。

丁度、当時、ベトナム戦争反対思想の機運に乗っかり、またボブ・ディランはじめ、哲学者扱いされる詩人作曲家も次々登場すると、未知さ溢れる「若者文化」を形作り、マスコミから熱く注目されたものだ。

この「未知さ」――即ち、哲学あるいは宗教的新思想に根ざす詩人達――自作品のギター弾き語り――という図式が、実は中世ヨーロッパ時代、盛んだったとされる「トルバドゥール」（吟遊詩人《ぎんゆう》）の姿を思い起こさせてならない。

書物や歴史絵画によれば、彼等は、まさしくギター（昔はリュート中心）弾き語りの楽士であり、王侯貴族達に聴かせるため、諸国を回りながら暮らしていたらしい。

単に詩を朗読するだけ、あるいは楽曲を奏でるだけでなく、幾分宗教色を帯びた詩句と、楽曲メロディーがぴったり重なり合う表現から、聴き手側を芯から慰め、元気づける効果が備わっていた、と考えて良さそうだ。

なぜ、ギター系だったか？　――「弾き語り」が鍵になる。

先ず、オーケストラ編成楽器中で、弾き語りできるもの……、と探してみると、満足な形では一種も無い事が分かる。

例えば弓奏楽器のバイオリンやチェロ――。メロディー進行を楽譜通り「棹《さお》」部分へ届ける左手運指の一方、弓と弦を擦《こす》り合わせる右腕「音出し」で、ほぼ全身神経集中せねばならず、とても、「『唄い』の傍ら作業」という訳に行かないだろう。

ハープも、両手指の動きは勿論、転調時等、両足ペダル操作に細かい変化を絶えず強いられ、「弾《ひ》くだけが精一杯」の楽器。

フルート・ホルン――管楽器類は、取り上げるまでもない。遠い将来、口が複数有るサイボーグロボットでも開発されない限り……。

こうして見回したら、た易く「弾き語り」できる楽器は結局、ギター系しかない事を教えられる。

「弾き語り」とは、如何なる行為か。

いや、それより前、一体、「ギター系楽器」とは？　……。

主に木製。演奏者から見て普通、左向きに一本長い棹《さお》部分及び、「共鳴胴」と呼ばれる右側の広い空箱部分を組み合わせた構造。

共鳴胴は大概、中央に穴が穿《うが》たれている他、外見も平たく、丸・四角・三角・瓢箪《ひょうたん》型・洋梨型等、バラエティー豊かだ。

両部分の端から端まで、弦（羊腸製や金属製。ナイロン製も普及）が、何本もしっかり渡してあり、胴・棹面から僅か浮いた配置。

この弦を右指で弾《はじ》き、振動・共鳴させる訳だが、その際「弾《はじ》き弦」を、左指で棹面に押さえ付け、振動する弦の長さが変わる事により音程調節できるしくみ。

こうした至極原理単純な楽器群を、背負って立つ王様格がギターであり、現在尚、全世界で、歌唱伴奏に欠かせない。


私が、ギター類に対して初めて、絆《ほだ》される如く熱っぽくなったのは、三十一歳頃だった。

職場異動先での、まだ慣れない昼食時。

狭く薄暗い喫茶食堂内のＢＧＭに、たまたま西洋古楽の小品が織り交《ま》ぜられており、ふと、耳を欹《そばだ》てた。

代表的「クラシック名曲」より、間違い無く一段階古い音色や旋律《せんりつ》パターン——恐らく、イタリア十七世紀頃のバロック楽曲、と推測される——。

魅せられた響きの素《もと》は、リュート独奏から来るものらしかった。

当時、奏楽音にさ程詳しくなかった私でも「あれは『リュート』」と即、認めてしまう反応——ギターと似て非なる素朴で、しっとり澄んだ音質が曲全体、いや、奥行き深い喫茶食堂内を潤す。一時《いっとき》の間、私の神経は、やんわり刺激・解放された。

「リュート」の名前や外観は、高校時代、帰宅後、新入生向け中型英和辞典をめくる内、挿し絵から知った。

昔風衣裳姿の若い庶民女性が、腰下ろした格好で、得意げに弾く姿——やや微笑み、伏し目がちな斜め横顔も優しく、愛らしい。

いつまでも忘れられず、後々繰り返し見入ったが、一方、従来、他人が弾くところだけは数多く見せられるギターとそっくりな〝別物楽器〟——「リュート」の存在も頭に刻み込まれた。

そして特段、縁もゆかりも無かったのに、十五年程経った、或る春の日の正午過ぎ頃、「あれがリュートの音色」と、直感した。

もしかしたら、あの挿し絵女性の記憶と相俟って、一度リュート演奏をたっぷり聴いてみたい欲求が芽生《めば》え、募《つの》っていた所為かも知れない。

それから、比較的短い期間内に、レコード屋のクラシックコーナーで演奏盤を見つける等、リュート楽器との距離感が、勢い縮まった。

一番象徴的だったのがバッハ「リュート組曲集」——。

昔、ヨーロッパ庶民が広く愛用しただけでなく、現在、尚「音楽の父」と尊敬され続ける世界史的巨匠にすら、信念を込め何曲も書かせる程、凄い楽器なのか？

バッハに関し、我々が思い浮かべる楽器は、先ず大オルガン。教会音楽にかけては彼の右に出る者がいない、と言われる。

また、管弦楽では「ブランデンブルク協奏曲」はじめ、大作が残されている。

オルガン以外の独奏曲も、ピアノの前身＝チェンバロ作品が有名だし、バイオリンやチェロならともかく、「リュート」とは……。

正直なところ、バッハ「リュート組曲」レコードの棚置きは、前々から店を訪れる度、ジャケット文字が目に留まったが、どうも買う気が湧かなかった。

「バッハ」の権威的重さ・大きさ・分厚さと比べ、「リュート」では音質が華奢過ぎる——オルガン曲から養われている私のバッハ観を、損《そこ》なわれる気がした。

そこには「ギター」の影も有る。なぜなら、同レコードの演奏者は、知る人ぞ知る名ギタリスト——ナルシソ・イエペスだったから……。

本場スペイン生まれ・育ちで、「アルハンブラ宮殿の思い出」他、数多く名曲を手がけ、海外公演にも引く手あまたの活躍ぶりが却って、彼を欧州版「さすらいのギター弾き」であるかに、先入観を根づかせたふしも否めない。

〈やはり、バッハには似合わない〉

リュートが、ギター並みにお手軽で、専ら《もっぱ》「庶民限定」扱いされた根拠は無い筈だが

——、聴く前から、そう決めてしまう。

そんな矢先——と言って良い、同じ三十歳代初期、春の朝方、私は、ささやかながら珍妙さ極まる気分を味わった。

朝食後、出勤までの約一時間、暇潰しの軽い読書中だった。

——私が好きな読書スタイルは〝雑学探訪〟。

本棚に並ぶ百科事典より取り出した一冊を前に、無作為でページをパラパラめくり、次々出合う記述事項——あらゆるジャンルから、ごちゃ混ぜに網羅された項目毎の解説文や、詳しい図版類——を眺めるのは、いつ何回行《おこな》っても知的な関心が尽きない。

当時、私が愛用し出した百科事典は、結構分厚いが、たった一巻もので小振りな、青少年向けだった。決して新しく買ったものでない。

活字がかなり細《こま》かい反面、説明内容は長過ぎず短《みじか》過ぎず、また、各ページ片端に寄せられたモノクロ挿入写真の、縦配列も見易かった。

——めくり読む内、各ページから時折、随分共通した格好の楽器類が、ちらほら現れる。案外、数多い。

毎朝、無造作な嗜《たしな》みで、出合い頭《がしら》思わず手を止め、凝視《ぎょうし》しだした写真が、それら〝似た者〟楽器達だった。ほぼ同じ基本構造故、却って一楽器毎、知られざる個性が際立ち、対面するだけで何やら面白い。

私に言わせればどれもこれも、「ちょっぴり体裁に凝《こ》ったギター亜種」としか思えないのだが、踏み込んでじっくり確かめる内、やはり、異なる名称や外形、細部仕上げ、装飾を持ち、使われる国々や文化圏も様々である事が、しばらく不思議でならなかった。

偶然的な再発見で、先ず注目した小写真が「阮咸《げんかん》」――。

正倉院所蔵の国宝だ。奈良時代、中国（唐）から伝来した、とされる。

平たく、真ん丸い共鳴胴、及び細長い棹部分が組み合わされた形。

両者を端同士でつなぎ渡された弦四本――丁度、共鳴胴真ん中の広い丸穴部分と重なるあたりは、全く以て「古代ギター」。

しかも全然、古臭さが伴わない。

そうした印象は、すぐ近いページに見本写真が載る「月琴《げっきん》」とのそっくりぶりからも裏付けられる。

月琴は、現代中国音楽でも登場する、ごく有りふれた民族楽器――との事。やはりギターと同じ基本構造ながら棹は細短い分、胴が目立つ「満月」スタイルで、独自キャラクターを見事に演じる。

これら「撥《はつ》弦楽器」達に、私は、視覚面からとにかく魅せられる一方だった。

〝本場〟――スペインギターが、「両端膨らみ、真ん中括《くび》れ」の瓢箪《ひょうたん》型胴だからと言って、何もそれに縛られる事無く、各々、堂々と自己宣伝してきた姿。

実際、この手の楽器群は外見のみならず、奏でられる音自体、属している地理上文化圏毎で相当癖《くせ》が強く、そこに民族文化の匂《にお》いを、しっかり感じ取れる目安ともなる。
大まかに分類してみたら――
・ギター（スペイン・ポルトガル）
・リュート（中世～近世のヨーロッパ全般）
・ウード（アラブ＝イスラム諸国。ヨーロッパリュートの祖先）
・マンドリン（イタリア）
・ウクレレ（ハワイ諸島）
・バンジョー（アメリカ）
・バラライカ（ロシア）
・チャランゴ（ペルー）
――以上、ざっとこんな具合。

さらに、「見かけ」及び奏楽音共、極端なまで特殊発達した例として、インド音楽領域を挙げるべきだろう。

シタール、ヴィーナ、タンブール、サロッドｅｔｃ．――

代表的な「シタール」は、大昔、イスラム諸国から伝わった「セタール」（ウードと比べ、ずっと細長く、胴より棹部分が立派な構造）を祖先に持つ大型撥弦楽器。

他種にも共通した、あの「ビーン～」と、余韻たっぷり伸び続ける響きは、一分間聴いただけで、きつい酔い心地にさせられる。

また忘れてならないのが、我が国の伝統楽器——三味線・琵琶《びわ》も、紛れ無く同属だ。

こうやって歴史的・地理的に俯瞰《ふかん》したなら、ギター系撥弦楽器が如何にインターナショナルな存在か、誰しも改めて驚かされる事だろう。

西洋でギター以前、主流だった〝往年の名スター〟＝リュートの面影を、現代楽器にも見出したければ「マンドリン」が良い。

これはイタリアの、国民的小型楽器——。

日本でも結構沢山作られ、市販されてきたが、「皆、お馴染み」とまで行かない。学生はじめ一部に、かなり熱心な愛好家がおり、マンドリンクラブの定期演奏会を開いたりしている模様。

弾き方はピック（爪具）を用い、ギターと配列異なる金属弦（二本近接した「複弦」が四本並ぶ——計八本）を、小刻みに震わせるトレモロ奏法が特徴だ。

共鳴胴も黄色っぽく、可愛らしい「洋梨型」。裏面が丸みを帯びて膨らみ、黒い棹部分は細短く、両腕でしっかり抱えなくても、膝《ひざ》上にのせて演奏できる。

音楽史上、発達経路がギターと交わらず、リュートからほぼ直接であったため、ヨーロッパ民族楽器として、地中海地方のおおらかな工芸センスも宿している。

他方、「ウクレレ」は、大航海時代、ポルトガルから伝わった小型四弦ギターが祖先らしく、底が平板な瓢箪《ひょうたん》型の胴や、少し幅広い棹部分等、その輪郭線まで全部写し取ったイメージだが、楽音は、至って素朴かつ軽快なもの。太陽光線溢れるポリネシア地方の海岸風土こそ、しっくり似合う。

それにしても、ギター系撥弦楽器はどうしてこれ程、外観のバラエティー豊かに栄えたのだろう？　各々唯一無二――他楽器だと考えられない位、多種多様な進化ぶりである。基本構造が単純なだけに、もしかしたら外見上、大部分は「生身《なまみ》」でなく衣裳に当たるのかも知れない。それなら確かに、幾らでも変身可能だ。

そう……、ギター系楽器は、服を着ている。これが際立った一条件。

奈良――正倉院所蔵の阮咸《げんかん》や琵琶も、紫檀《したん》材の胴・棹面いっぱいに見事な螺鈿《らでん》細工が施《ほどこ》され、贅沢《ぜいたく》この上無い。

西洋ではエリザベス朝イギリスから、象牙や真珠・べっ甲で隅々まで飾られた〝宝物ギター〟が伝わっている。そこにケバケバしい悪趣味を漂わせない。

一般に楽器類は、演奏時の音質が損《そこ》なわれぬよう、余計な細工や付属物を嫌う。バイオリンやチェロ然り。なるべく、素材感のみ強調されたシンプルさが身上だ。

艶々と黒光りするクラシック系ピアノの本体表面は、〝正統派〟にふさわしく静粛《せいしゅく》な重みを、演奏会場へもたらす。

また、ホルンやチューバ等、大型管楽器に共通する極めて複雑な姿形は、音作り上の必然からもたらされた。

それらは、まさしく機能美であり、音ひと筋――「優れた奏楽有っての外観」を、聴衆へ向け、アピールしている。

ギター系のみ、なぜか〝衣裳〟を受け付ける。他楽器と異なり、少々着飾っても、おかしく見えない。その理由をまとめてみたい。

一つは、音出し機能上、装飾や部分的変形が、あまり障害にならない性質か――。

それ程、単純構造なら致し方無いが、常識的に見て、バイオリンやチェロより製作技能に劣る筈が無い。厳しい職人芸で生み出される点は、どこ共同じだ。

只、世間の高級指向が特段強くないのも確か。――もし、「ストラディヴァリウスに匹敵する超高品質ギター」が公開されても、一部コレクターを喜ばせるだけだろう――。

そうした融通性が、ほぼギター固有だとすれば、これは「伴奏楽器」という主立った役割に着目する以外無い。

ギター伴奏は、器楽合奏よりも圧倒的に「弾き語り」スタイルであり、詩文詠唱《えいしょう》と分かち難く結び付く。二面性――即ち、物理的な意味の音楽、及び観念的な「詩音楽」が組み合わさり、異次元複合表現となっている点が、他楽器で代えられない。

この素性こそ、「着飾ってもサマになる」外観イメージを許してきた背景ではなかろうか？

大作曲家ワーグナーも、「ギターは小さなオーケストラ」と語った。

実際、弦を弾《はじ》いたり押さえたりする際、指角度の微妙な変化が、音色に直接影響し、複数の異なる楽器を兼ねるような聴こえ方が有る。

弓（バイオリン）や打鍵ハンマー（ピアノ）や圧縮空気（オルガン）によるメカニックな行程を経ず、各指の腹や爪《つめ》さえ使い分けられる。

人肌感覚で多様に音出しできる特徴は、何とも貴重だが、どうやらそれだけで終わらない。

やはり「弾《ひ》き語り」を通じて、純粋音楽ではない「歌」という、虚実取り混ぜた表現に役立つ媒体故、知らず知らず特別扱いされ出したのだろう。

ギター系は、楽曲と詩句の間に位置し、伴奏で以て両者を橋渡しできる「境目楽器」でもある。——一旦そう定まれば、「詩」以外の要素も拒まなくなるのか、宝石飾りや、相当変形の上、昔、東西で王侯貴族達から愛玩され、アクセサリー化した「置き物」も沢山有る。

私自身、あれ以来、百科事典やレコードジャケットに載るギター類の写真見本が、普段ちらちら目に映る度、段々たまらなくなり、いつの間にか、とうとう一台買い込んでいた。

大都市商店街の、一番駅前角に、昔から建つ小粋な楽器専門店。

バイオリンやマンドリン、大正琴、アコーディオン他、あらゆる種類が所狭しと並ぶ。

まるで博物館風情な店内にて、一番小振りサイズのクラシックギターを選んだ。

3

——ああいう矛盾・チグバグ心理が、我ながらやり切れない——

店頭では、興味の素《もと》をいっぱい溜め込み、棚から高く吊り下げられていた掘り出し物＝小型ギターが、家へ持ち帰った途端、単に「馴染み薄く、真っさら小綺麗な一楽器製品」を決め込むばかり……。

入手できた喜びや安心なぞ、あまり感じられない。第一、弾き方が全然分からない。どうせなら、初心者向けテキストも買うべきだったが、なぜか直接「弾きたい」欲望は薄いのだ。

案の定——よく有る話で、青年が、流行歌謡スターにぞっこん惚れ抜き、その愛用品とそっくりなギターを親にねだり、買って貰ったものの、触れる事少なく、やがて「押し入れ在庫」に持ち腐れてしまう——。

私の場合も多分、上《うわ》っ面《つら》な好奇心から成る〝御都合趣味〟？　——却って現物と対面後、教え諭された具合。実のところ、あの店頭にいつでも見つけられるなら、買わない方が楽しめたかも知れない。

それでも、もう付き合いかけた関係。

勿体無さから、恐る恐る弾いてみたら――六本共、弦は硬いし、厭《いや》味な位まどろっこしい指遣《づか》いに、「嗜む」どころの話でない。

〈バイオリンなんか、もっと大変。最初は誰も、そうだろう〉

と、気を取り直し、易《やさ》しい教則本も買って読みつつ、毎日少しずつ頑張った。

約半月後、音階――「ドレミファソラシドー」や、ゆっくり進む和音位は、何とか辿れたが、義務として練習すればする程「出来映え」ばかり待ち遠しい。当然、楽器本体の素材が持つ魅力や個性（歴史的特色）は、二の次に思え出す。


元々、私にとり身近な楽器と言えば、断然ピアノだった。

指を速動きさせられず、楽譜読みも全くいい加減なため、しょっちゅう弾き間違うけれど、楽曲に対する感受性や敬意のみ人一倍――と、自負している。

直接習った事は無い。むしろ、それが幸《さいわ》いしたかも知れない。妹が小・中学校時代、週一回ずつ、放課後に近所で習い続けたため、私も後から真似して、よく一緒に弾いたものだ。

私の曲目は、初心者向け教則本止まり。但し、妹より、ずっと愛着が育ち、たとえ技巧的に易しい小曲であろうと、そこから受けた情感の、生涯的恵みは計り知れない。

一方、ギターへの関心は、少年時分に殆ど育たずじまい。正直、ピアノも下手だが、ギターは、音出し手順そのものをまるで納得できない。見た目が単純な分、余計、親しみにくかった。

毎年夏、父の生家へ帰れば、従姉弟達が使い古した玩具箱内で、ごく小さいブリキ製ギターが目立つのに、一度も触る気が湧かない。

加えて当時、人気スターだったエルビス・プレスリーやビートルズ、日本のグループサウンズが、ギター伴奏しつつ唄いまくるテレビ映像から、「これは『やかましさ』しか呼ばない〝俗楽器〟」と決めつけ、敬遠しがちだった。

そして、三十歳過ぎて以降、言わば骨董《こっとう》趣味の文化史的関心から、自らも愛用品に加えてみたい――と、いそいそ小型ギターを買い入れたところ、前述の有り様に……。

結局、「弾ける」レベルまで指が馴染まなかったが、生《なま》の楽器音を体感し、また、ギターならではの旨味《うまみ》も色々発見できた。

それは、太さだけでなく、半数ずつ材質も異なる六本弦を、右指で弾《はじ》き鳴らす際、棹面に弦を押し付ける左指の位置次第で、面白い離れ技ができる事。

例えば第三弦（ナイロン製）及び第四弦（金属製）から、音程・音階共全く等しい一楽音を、それぞれ同時発生させられる。

一鍵一鍵毎音程が定まったピアノやオルガンでは不可能。

この場合、同音階で音程の異なる複数鍵を打ち鳴らす「ユニゾン」よりも、異楽器合奏のユニゾンに近い響きだろう。

また、広く三オクターブ・四オクターブにも跨《また》がる範囲の和音を、ひと塊《かたまり》で奏でたり——やはりピアノだと、真似できない。

私に幼少より、イエペス並みの才能が備わっていれば、どれだけ楽しかったか——悔やまれたところ。

つくづく、ギターが秘め持つ変幻自在なしなやかさに、教えられる日々であった。

4

——しかし、代わりとして私は、程無く独自の「ギター観」を、むしろ理屈っぽい側面から推《お》し進める運びとなったのだ。

或る面、「荒唐無稽《こうとうむけい》」と、一蹴《しゅう》されても致し方無い。

なぜなら、ここまで長々述べたようなギター楽器固有の性格付けが、何と文学分野における「詩芸術」のそれと、恐ろしく似通って感じられ出したから……。

判断材料は、先述通り、同じ年代時分に初めて出会った古本――『人間ゲーテ』内記載の、カタカナ原文詩である。

ここから私が受け入れた「詩音楽」（音楽詩＝純粋韻律）は、それよりずっと以前（二十歳頃）、自ら詩作した「カナ文字メロディー」の、軽妙な読み味が下地となった。

そうした発想自体、詩芸術分野ならではの〝複合体質〟に負うところが大きい。

そこへ以て、ギター系楽器のしなやかな機能性や、「弾き語り最適」という、これまた複合的役割が――まるで約束されたかのように、私の心内で仲良く交わり――自然な流れの内、次第次第、一体化していった――。


その結果もたらされた〝仮想現実〟的な産物を一つ、ご紹介したい。

それは短文で表すなら、「現代、世界唯一、音楽詩（純粋韻律）の一音一音を奏でられる楽器――『韻律ギター』」となる（次頁の図参照）。

以下、少々実用的な述べ方となるが、ここまでと一部繰り返しも含め、説明に移る。

ちなみに、オーソドックスな詩芸術観は、しばらく脇道に置き、お読みいただきたい。

究極的に「音楽詩」とは、人声を使った擬音語効果の表現へと行き着くものらしい。

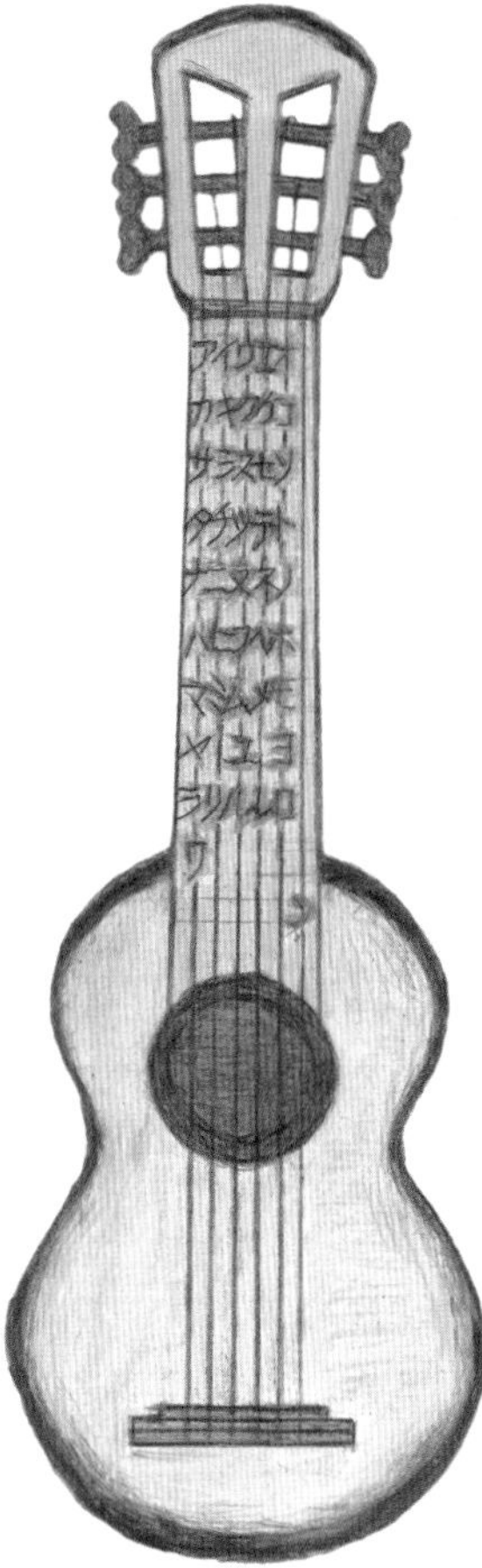

韻律ギター

とにかく「音・音・音……」の世界であるが、当ギターから流れ出す音は、物理学的に見た周波数――音程の上下移動する幅が、ごく狭く、常識的な聴き方だと「一本調子」に近い。

しかも「人声」のみを前提とするため、奏でられる調べ（メロディー）も「旋律」でなく、「韻律」と呼ぶにふさわしい性格だろう。

この調べは楽譜――五線紙上を踊る代わりに、表音文字＝カタカナのみで白紙に即、書き表す事ができる。〝作曲〟も、ごく簡単なのだ。

では、少し楽器に触《さわ》り、たどたどしいながら初歩らしく、実際の「音（韻）出し」してみよう。

無作為に二音ずつ並べると、

ベタ・バキ・ネン・スル・
コミ・ケプ・タリ・ヘス

――ここには、何ら様式というものが無い。一見すれば馬鹿げた戯れ――文字（韻字）の羅《ら》列のみで、おしまいとなる。

ところで、もう、お気づきいただけただろう。

先程から、新たな要素が御披露目《おひろめ》された――「色」である。

　私は、今から約二十年前、この「韻律ギター」を、紙上に初製作した際、思わず――と言おうか、さ程考えも無く、各演奏音の名称（カナ文字）に着色してしまった。

　いや、着色したからこそ、意外にもた易くこの楽器を拵《こしら》えられたのかも知れない。単に文字綴りや読み順が分かるよう、記入しただけなら、小学校国語教科書から「五十音表」を一ページ切り取り、ギター図版に貼り付けた如き、珍妙極まる代物でしかなかった筈。

　ところが、この着色により「韻律ギター」は、構造的にもすっきり成り立った気がする。やや大袈裟《おおげさ》な見方をすれば、詰まるところ、純粋韻律の本体を成す「カタカナ五十音」が、そのまま色の秩序と馴染み易かった？

「誰が決めた、如何なる秩序か」と問われたら、――それは、私が勝手に決めた訳であり、従って様式名が、どこかで語られる場合、私の名前を冠し、「〇〇式純粋韻律体系」となるのだろう。

　誰しも己の氏名は、他所《よそ》で、あまり大っぴらに見聞きしたくもないものだが、仮に私が安井姓なら「安井式」、安原姓なら「安原式」と、呼ばれ出すかも知れない。

「マンセル式色立体」や「メルカトル図法アジア地図」――等に近いニュアンス。

　いずれにせよ、そうした基準を前提とする。

　色選びの根拠も、「私自身が納得できる感覚イメージ」以上のものでない。

　配色の中身同様、重要なのは、それらすべてを韻律ギター内にぴったり嵌《は》まらせた要領だろう。
当ギターの主音を奏でる弦数は「五本プラス一本」。各文字毎、カナ読みが属する母音系の一致、という条件で各弦一本——一色ずつにまとめる事ができた。
具体的には、
ア母音系「ア・カ・サ・タ・ナ・ハ・マ・ヤ・ラ・ワ」——黄色（レモン色）
イ母音系「イ・キ・シ・チ・ニ・ヒ・ミ・リ」——黄緑色（若芽の色）
ウ母音系「ウ・ク・ス・ツ・ヌ・フ・ム・ユ・ル」——桃色（ピンク色）
エ母音系「エ・ケ・セ・テ・ネ・ヘ・メ・レ」——橙色（オレンジ色）
オ母音系「オ・コ・ソ・ト・ノ・ホ・モ・ヨ・ロ」——薄青色（秋の澄み切った晴れ空色）
——以上、基本五音。そして次——母音系から外れ、撥《は》ね響いたり、短く弛《たゆ》む撥音を表す「ン」文字は、単独第六弦に薄い灰色（グレー色）を当てる。
先般、昔、実際使ったノートを開き、確かめたところ、発明時の配色は意外にも右記とやや異なり、もっさり垢抜けない案だったが、当初、試行錯誤や時間不足も否めず、程無く（三十三歳頃）、選び直した。
私としては、この改善案が唯一美しく、理に適《かな》った最終基準である。
「母音＝色」と聞けば、ご存知の方は、ピンと来て一作思い浮かぶだろう。

「黒いA《アー》　白いE《ウー》　赤いI《イー》　緑のU《ユー》　青いO《オー》、おお母音よ」と、詠《よ》まれたフランスの詩人・アルチュール・ランボーの『母音』。まだ若かった頃の作らしい。

彼が普段、「A」の音声を聴く、もしくは口から発する時、本当に黒く染まった平面や、空間を脳裡で感じ取れたか？

暮らしている文化圏を根っから異にする者は、推理の手がかりが無い。

私自身について補足するなら、「韻律ギター」の有用さをはっきり認め、紙に描いて製作する際、あたかも自然法則の如く、全表音文字を母音毎に色分けし、それで事足りた。

必ずしも最初からア母音系が黄色に見えたり、ウ母音系がピンク色に見えたりしなかったものの、そういう不動の「持ち色」を定め、一緒に描き表した結果、各母音系一音一音が、文字もろとも生き生き映える読み味となり、以後、韻律カナ使用との間に、切っても切れない良縁を保証してくれた。

これら多彩な表現を、韻文に強い本場＝中国伝来、しかも我々の精神活動を常々支える「漢字」で行《おこな》ってみたら、どうだろう。

案外、大変な作業に違いない。無論、機械で手当たり次第「色文字変え」するだけなら話は別だが、どの字にどの色を割り振るか？

少なくとも日本文化側では、確たる目安を持てない。

漢詩には、表音文字＝漢字による音楽が満ち溢れているが、「音」自体は必ずしも主役でなく、それら一字一字に備わった固有の「意味」＝表意内容を飾り、守り立てる役割。

一方「カナ文字」は、見事な程、母音体系に組み込まれている――。長い歴史期間を経て各国独自に育った文化の個性であろう。

漢字と異なり、秩序立った色分けをできる事から、カナ文字のみで書かれた詩はた易く、愉快な色刷り文に仕立てられる。

先ず、音声表現のみ手早く集めた断片群だと、次のようになる。

パン・カン・タン
ワン・キャン・ニャン
シャン・チャン・マン

――これらは、ア母音系と、それらを短く響かせる余韻の撥音がつながり、物を叩く音や犬・猫の鳴き声、また三行目各節は擬態語として時々使われる。

もっと、他母音系カナ文字も幅広く取り入れたら――、

パン・ピン・ポン
ダン・ディン・ドン

ラン・リン・ロン

etc.

ここでは普通、擬音・擬態語として使われないものも含まれる。しかし、それらを、わざわざ区別する必要も無い。

実音――例えば鶏の鳴き声が、アメリカ人には「コケコッコー」で全然通用しないように、擬音・擬態語自体、最初作った人の感性次第。

韻律である色彩音語（カタカナ音楽）は、より別次元から、変幻自在の融通性で、感覚を解放してくれそうだ。

言葉は「信用」「存在感」にこそ価値が有り、詩の場合それが、よく実感される。

若干ニュアンスは違うが、祭りの囃子詞《はやしことば》「ワッショイ」等、日本人にとり、聴き慣れた見本だろう。

年中行事の下、先人から特段何か、知恵や信条を伝える目的が有る訳でない。まして、謳《うた》われた事柄は細大漏らさず大声に出し切り、念じねばならない――と決まった言霊信仰の掟でもないが、主催者・参加者達の信頼関係が、掛け声風習を守り続けさせている。

人間、あらゆる物事を、決して百パーセント正しくは理解できないから、言葉に表すと十中八九、上辺や一部限定的にならざるを得ない。

それを聞いて、或る人々には正しく、また〝別陣営〟からは偏《かたよ》った受け取られ方になったりもする。

発言者自身、当初と、後から検証した時点で微妙に立場が変わり、あまり「述べた通り」には責任を持てなくなる場合だって多いのだ。

私は、言葉それ自体も生き物であり、その「生き物」に仲介をお願いしつつ、物事が世間で、人々の心から心へ、上手く循環している――、と思う。

時には彼（彼女？）＝言葉が自由に遊べる空間も必要。そうした部位に純粋韻律が役立つようなら、大変嬉しい。


中国詩人は、「文学詩」を即、「音楽詩」に読み替える技を有するらしい。

遥か古典作品群から、一文化的機能として、「表音」及び「表意」が表裏を成す言語（文字）構造――これは、日本詩人にとり羨《うらや》ましい限り。

しかし、その変わり種《だね》とも言える「音のみの表現」で我慢するなら、中々面白くスムーズに、カタカナ詩を作れる気がするのである。

これから後段、純粋韻律をテーマに解説――と言うより、あれこれ楽しく遊びながら随時、皆様とご一緒に、その適切なルール部分を確かめ直していきたい。

何分、世に出すのも今回が初めてで、生硬さは否めないため、理屈よりも「実技」を通した方が、よくお分かりいただける筈。

尚、韻律ギター図の弦色に示されないが、母音・子音どちらとも聴こえる「ヤ行」絡みで、拗音《よう》（「キャ・キュ・キョ」「シャ・シュ・ショ」等――「半母音」音素を添える二文字語音）は、二文字共、添えた側の系統色で統一。また、「キッ・タッ・ピッ」等――つまる「促音」や、「ガー・フー・モー」等――伸びる「長音」は、それぞれ一文字目の母音系統色に従う。

濁点、半濁点の付け方も当然、国語仮名遣い通り。

5

さて、ここに擬音（声）語・擬態語の音型を、思いつくまま書き並べる。

キン・コン・カン
　チン・トン・シャン
　　ピン・ポン・パン

――以上は、多くの人々同様、私自身、三十年以上前の青年時代までに、日常情報から聴き覚えたもの。

一行目――ラジオ番組で、童謡風主題歌に、教会の鐘の音として登場し、二行目――京都葵祭の王朝絵巻風行列で毎度打ち鳴らされる鈴音。三行目――昔、テレビの子供向け番組で、体操の際に唄われていた記憶が残る。元気いっぱいな幼稚園児達の動作を表す擬態語だろう。

各々異なる出自の三者に、大切な類似点が有る。いずれも、三音節に分かれ、それぞれ二文字目は、口を開かず発声できる撥音「ン」――。そして、一文字目がイ母音系→オ母音系→ア母音系と移る形。

早速、新楽器「韻律ギター」で弾いたなら――

キン・コン・カン
チン・トン・シャン
ピン・ポン・パン

底辺を支える音節リズムだけでなく、或る種「音色」が浮かび上がってくる。

さらに、これらの基本形で以て、五十音域あらゆる範囲（ギター一弦毎の音種――子音系含む）を移りながら奏でられたら、どうなるか。

リン・ロン・ラン
フィン・ソン・ファン
ミン・ノン・マン
スィン・ホン・ナン
ティン・コン・ダン
ニン・モン・キャン
ギン・リョン・サン

後ろの三句等は、相当奇異な聴こえ方かも知れないが、まあ、二、三度ゆっくり目を通し、慣れ親しんでいただければ有り難い。

ここらあたりが、言わば、「純粋韻律」らしい響きであり、楽器の即興演奏に準ずる手法へと、一歩踏み出した段階。

「詩＝音楽」とは結局、こういう感覚でなかろうか――当初、私にはそう思え出した。

尤《もっと》も、こんな〝文字メロディー〟を、朗読会にて五分、十分……と聴かされだしたら、良心的観客も、うんざりしかねない。只、右の如く「韻配色」がきっちり定まった上で、紙ページ（あるいはスクリーン）いっぱいちりばめられた記載面をも併せ見れば、図案の成長する度合が、程々楽しいに違いない。

各自、好みこそ別々なれど、「色」に対しては人間、かなり許容範囲が広く、受け身でなくなる感じだから。

今回、私は「詩・音楽」の正式縁結びに「色」を持ち込み、〝良き三角関係〟へ発展させた事で、将来、純粋な「音楽詩」に限り、人々の理解や関心が格段増す——と、期待を抱きかけている。

今度は、先程と同じ要領で作った主題句に、多様な〝音触り《おとざわ》〟を施しながら表してみる。

（主題句）

タンパー・タンピー・タンプー・
タンペー・タンポー

右は、各音節の真ん中に撥《はつ》音を挟み、一文字目——固定、三文字目——五十音表の母音順変化——となるが、これを一文字目を五十音表の母音順に、三文字目を固定した格好が、

タンパー・チンパー・ツンパー・
テンパー・トンパー

料金受取人払郵便

新宿局承認

3970

差出有効期間
2022年7月
31日まで
（切手不要）

郵便はがき

160-8791

141

東京都新宿区新宿1－10－1

（株）文芸社

愛読者カード係 行

ふりがな お名前		明治 大正 昭和 平成	年生 歳
ふりがな ご住所	□□□-□□□□	性別 男・女	
お電話 番 号	（書籍ご注文の際に必要です）	ご職業	
E-mail			

ご購読雑誌（複数可）	ご購読新聞 新聞

最近読んでおもしろかった本や今後、とりあげてほしいテーマをお教えください。

ご自分の研究成果や経験、お考え等を出版してみたいというお気持ちはありますか。

ある ない 内容・テーマ（ ）

現在完成した作品をお持ちですか。

ある ない ジャンル・原稿量（ ）

書　名			
お買上書店	都道府県　　市区郡	書店名	書店
		ご購入日	年　月　日

本書をどこでお知りになりましたか?

1.書店店頭　2.知人にすすめられて　3.インターネット(サイト名　　)

4.DMハガキ　5.広告、記事を見て(新聞、雑誌名　　)

上の質問に関連して、ご購入の決め手となったのは?

1.タイトル　2.著者　3.内容　4.カバーデザイン　5.帯

その他ご自由にお書きください。

(　　)

本書についてのご意見、ご感想をお聞かせください。

①内容について

②カバー、タイトル、帯について

弊社Webサイトからもご意見、ご感想をお寄せいただけます。

ご協力ありがとうございました。

※お寄せいただいたご意見、ご感想は新聞広告等で匿名にて使わせていただくことがあります。

※お客様の個人情報は、小社からの連絡のみに使用します。社外に提供することは一切ありません。

■書籍のご注文は、お近くの書店または、ブックサービス(0120-29-9625)、セブンネットショッピング(http://7net.omni7.jp/)にお申し込み下さい。

次は、変化子音の一部に透明感を与える。

タンパー・ティンパー・トゥンパー・
チェンパー・ツォンパー

主題句へ戻り、一文字目＝濁音、三文字目＝半濁音。

ダンパー・ダンピー・ダンプー・
ダンペー・ダンポー

〈濁・濁〉

ダンバー・ダンビー・ダンブー・
ダンベー・ダンボー

一文字目は乾いた響きで固定し、三文字目を軟らかく――。

タンファー・タンフィー・タンヒュー・
タンフェー・タンフォー

〈軟・乾〉
ファンハー・ファンヒー・ファンフー・
ファンヘー・ファンホー

〈軟・軟〉
ファンファー・ファンフィー・
ファンヒュー・ファンフェー・
ファンフォー

主題句へ戻り、今度は前後二文字共、母音変化を揃える。

タンパー・ティンピー・トゥンプー・
テンペー・トンポー

前文字のみ、同順の母音系で、子音変化させる。

カンパー・サンピー・タンプー・
ナンペー・ハンポー

後文字のみ、同順の母音系で、子音変化。

タンカー・タンスィー・タントゥー・
タンネー・タンフォー

右の両者を組み合わせる。

ハンカー・マンスィー・ヤントゥー・
ランネー・ワンフォー

前文字の母音変化も加える。

ホンカー・メンスィー・ヌントゥー・
リンネー・サンフォー

そして、ここまで一定だった撥音・長音位置も、適当にずらしてみる。

ホンカー・メスィーン・ヌーントゥ・
リーネン・ンサフォー

子音選びの、これといった規則なぞ有りはせず、無作為抽出的な並べ方でも、偶然隣り合わせた文字間に何かしら、「韻の響き合い」が必ず生じる訳で、それなりに楽しめる。

勿論、文字音を、或る程度手堅く、型や順序に嵌《は》め込んだ〝奏で方〟の方が、やはり、聴いて、また読んで快いかも知れない。

ここからは、より音楽的な旋律イメージも取り入れて書く。

先ず、各音節内の前文字を同母音系で——

バルカルサル・ヤルタルマル・ラルワルアル
バリカリサリ・ヤリタリマリ・ラリワリアリ
バレカレサレ・ヤレタレマレ・ラレワレアレ

〈前文字固定・後文字変化〉
バルカリサル・ヤリタルマリ・ラルワリアル
バレカルサリ・ヤレタルマリ・ラレワルアリ
バラカリサリ・ヤリタレマレ・

ラ**ロ**ワ**ル**ア**ル**

〈前文字変化・後文字固定〉

バ**ルキルペル**・**ユル**ファ**ル**ナ**ル**・
チャ**ルケルトル**

クァ**リメリスリ**・**ヨリ**タ**リ**ソ**リ**・
ドリブリデリ

ニレファ**レモレ**・ソ**レユレヌレ**・
キャ**レピレミレ**

〈両者複合〉

バ**ルキレピレ**・カ**レ**サ**ロ**ファ**ロ**・
ジェリノラ**ブ**ラ

フェラ**ショルキル**・**チリメレ**ク**レ**・
キャ**ルセルミル**

ドルタラフィラ・**ユレ**キャ**リ**ソ**リ**・
ポラ**トゥルセル**

——以上、すべて六文字三連句の変形であり、一句毎、楽曲リズムの音符（♫♫♫）で小節を区切れば、４分の３拍子そっくり。

こうした具体的表現は、発想者の個性により、好きなだけ様々な音型を生み出す事もできよう。


ところで、右に「作韻」を試み、改めて気づいたが、文字音を辿りつつ読み返す（——「奏韻」？）際、声に出したり、また思い浮かべるだけでも、「オ母音系」が韻文には、少々使いにくいのだった。他母音系文字同士と比べ、響きの間合いが悪い所為か、自然につながらず、何やらガクッと段差が伴う。

例えば、

アッカー・ラッカー・パッカー
イッキー・リッキー・ピッキー
ウックー・ルックー・プックー
エッケー・レッケー・ペッケー
オッコー・ロッコー・ポッコー

と、同じ母音系語音を揃え、それぞれ単独に奏でる分には、殆ど問題無いが、

アッキー・ラッキー・パッキー
イックー・リックー・ピックー
ウッケー・ルッケー・プッケー
エッコー・レッコー・ペッコー
オッカー・ロッカー・ポッカー

他母音系同士を組み合わせると、右の例なら四行目から、音声感覚の段差を行き来せねばならない感じが出てくる。まだこれは文字間を、「弾《はじ》き・伸ばし」の記号でワンクッション均《なら》されている。それらも一切外し、生《なま》の二文字連句で行くなら、

アキ・ラキ・パキ
イク・リク・ピク
ウケ・ルケ・プケ
エコ・レコ・ペコ
オカ・ロカ・ポカ

三行目あたりで、やや起伏しかかり、四・五行目は「上がったり下がったり」が、はっ

きりする。

無論、意識して力を込めれば、その場は軽く通り過ぎるが、〝絶えず〟だと、やはり読みにくい。つながり弱く、離れた文字音同士の響き合いは、正直、快いものでない。

もう少し重点的に覗き続けよう。

1アク・ラク・パク／イケ・リケ・ピケ
ウコ・ルコ・プコ／エカ・レカ・ペカ
オキ・ロキ・ポキ

2アケ・ラケ・パケ／イコ・リコ・ピコ
ウカ・**ルカ**・**プカ／エキ・レキ・ペキ**
オク・ロク・ポク

3アコ・ラコ・パコ／イカ・リカ・ピカ
ウキ・ルキ・プキ／エク・レク・ペク
オケ・ロケ・ポケ

以上、「二文字三連句」群を書き並べてみたところ、また一つ気づかされた。それは、オ母音系とウ母音系が比較的相性良い点。

右例一行目――第三句及び二行目――第五句に現れている。

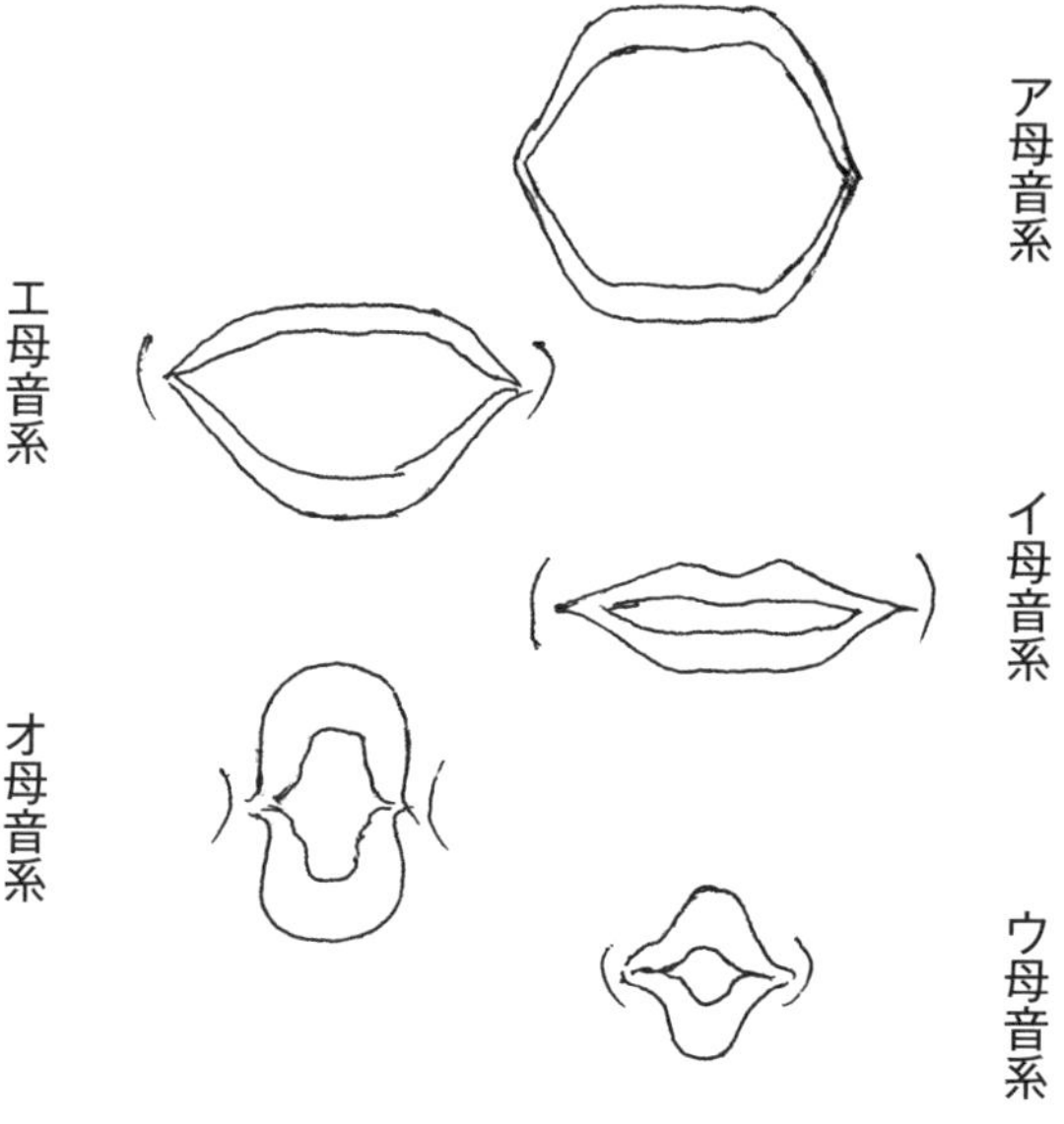
ア母音系
エ母音系
イ母音系
オ母音系
ウ母音系

理由は、各母音系において発声時、人が口を開く形はほぼ決まっており、内、違いの大きいもの同士が並ぶと当然、発音しにくくなる。

大体、前頁図が妥当なところだろう。


ご覧の通り、ウ母音系とオ母音系はどちらも、唇を狭くすぼめ、かなり丸みを帯びた開口型であり、似ている。ウ母音系は普通、歯を上下共閉じて（無論開いたままでも）発音できるが、オ母音系は唇の丸型を、もっと縦長く広げ、上下の歯は噛み合わさず、離す方が発音し易い。

ところが、舌の動きによっては、「狭口丸型」でオ母音系音、「広口丸型」でウ母音系音を出す事もでき、後者に比べ前者は、より自然な耳触り——となれば、普段、我々皆の声で或る程度、両者混在している傾向が考えられる。

特に、発音時間が短い音節だと、無意識の内、楽な方を選ぶだろう。

前例一段目を、促音付きにしてみる。

アック・ラック・パック
イッケ・リッケ・ピッケ

ウッコ・ルッコ・プッコ
エッカ・レッカ・ペッカ
オッキ・ロッキ・ポッキ

右の内、「後文字＝オ母音系」となった三行目が検討対象。

前文字（ウ母音系）から後文字（オ母音系）へ移る際、ゆっくり落ち着いた発音なら、いつも通り大きく縦長い開口型に変えられる。

それが数多かったり、速さを求められた場合、他母音同士と比べ、一々縦長開きは煩わしいため、唇をすぼめたまま、舌の動きのみで「ウ母音系↓オ母音系」にしたい。――結果、後文字のみ「半発音」と呼べるささやき状態となり、声をはっきり聴き分けにくい特徴が、ここでは逆に生かされる。

紙面上で表せば、

ウッコ・ルッコ・プッコ

と、「コ」を小文字表記し、唇は狭くすぼめた口形のため、オ母音系ながら文字色もピンクで良かろう。

ウ母音系以外の文字音と連なる句では、尚更《なおさら》そうせざるを得ない具合だ。前文字が同じオ母音系の場合でさえ、続く後文字を半発音（ウ母音系）する方が、スムーズに速く読める。

アッ㋙・ラッ㋙・パッ㋙
↓　アッ**コ**・ラッ**コ**・パッ**コ**
イッ㋙・リッ㋙・ピッ㋙
↓　**イッコ・リッコ・ピッコ**
エッ㋙・レッ㋙・ペッ㋙
↓　**エッコ・レッコ・ペッコ**
オッコ・ロッコ・ポッコ
↓　**オッコ・ロッコ・ポッコ**

他のオ母音系語音に関しても、後文字で使うのは、やはりウ母音系に近い半発音が唄い良い。

タッ**ポ**・ハッ**ト**・ラッ**ソ**
↓　タッ**ポ**・ハッ**ト**・ラッ**ソ**
テッソ・ケッホ・レッド

キット・ピッソ・リッポ　↓　テッソ・ケッホ・レッド
↓　キット・ピッソ・リッポ

etc.

これらから、促音をすべて取り除いても、ほぼ同じ「響き」効果が保てる筈。数少ない約束事であれ、こうした過程は、「絶対音感」有無とか、それに関連した弦楽器の調律同様、かなり特殊なもので、傍目にも、どこか泥臭く感じられるかも知れない。

6

——ざっと急ぎ足で書きまとめた私自身、まだまだ芸術性を誇れるところまで習熟できていないが、取り敢えず基礎固めのみ、何とか終えた事にしたい。

純粋韻律を今後、どこに、どう活用すべきか？

——それは、「音楽詩」かつ「詩音楽」であり、詩と音楽の根源的密接さを体感できる表現手段。

歌唱同様、「口」という楽器により奏でられるが、音階の上下領域（五線譜上）を幅広く動く代わりに、唇や舌の発声型で変わる音の種類（韻律）が基準となる。

五線譜や音符記号と同じ役目を果たすのは、あらゆる発声音を母音毎に色分けされた「五十音カナ文字」である。

それ故、純粋韻律の「調べ」を読み辿る意義とは、文字発音で奏でる詩句に関し、色彩美術同様、〝記譜〟された韻文紙面をも併せ観て味わう嗜みに他ならない。


詩の一種である以上、さし当たり可能な実習として、「意味内容」に直接関わらない言葉の響き良さ――外国語風発音を真似るのが適当だろう。

明治維新以降、我が国は政治・経済から文化まで百八十度近い転換（国際化）を経験し、世界中の情報が、絶えず流入し続けた。

どこが――どう当て嵌《は》まるか？　細かく確かめられないが、我々の耳もマスメディアを通じ、英語・フランス語・ドイツ語・イタリア語・ロシア語……と、欧米各国もとより、近年は、新しい経済大国の中国語や、政治動乱の中東＝アラビア語を知らず知らず聞き覚え、それらがごちゃ混ぜチャンポン状態となり、記憶されていておかしくない。

数年後、英語が公用語化されたりもするらしいが、正式に習うより前、大人・子供問わず一度、純粋韻律を通じ、「音」とは？「声」とは？「言葉」とは？　そもそも本来何であるか——理屈でなく体で理解する試み等も、大変有意義でなかろうか。

そこでの発音スタイルは、銘々考えつくままで構わないと思う。

私も、次頁に、横書き創作文を載せてみた。

リズム感覚他、多少気恥ずかしさも残るが、万人いれば万もある「癖《くせ》」の一つであり、割り切っている。

むしろ、韻律色に描き分けた一枚を、普段、日当たり遠い屋内の壁に飾り、長く掲げて眺める方が楽しみになる筈だ。

改めて「分類上、詩と小説の違いは何か？」——そう問われた時、今の私なら、こう答えよう。

「小説は文学芸術。しかし詩は、音楽初め他分野と、文学の境目に位置する複合芸術」と——。

これこそが、望まれる定義だったのではなかろうか。

古来、世界中で、有名無名問わず、星の数程出現してきた詩人達が、最も悩まされる問題は、「どうすれば、優れた『会心の詩』を書けるか」よりも、「『会心の優れた詩』なんて、果たして実在するのか」と、疑ってしまう根本的矛盾だった気がしなくはない。

純粋韻律筆記例（色彩音語文）

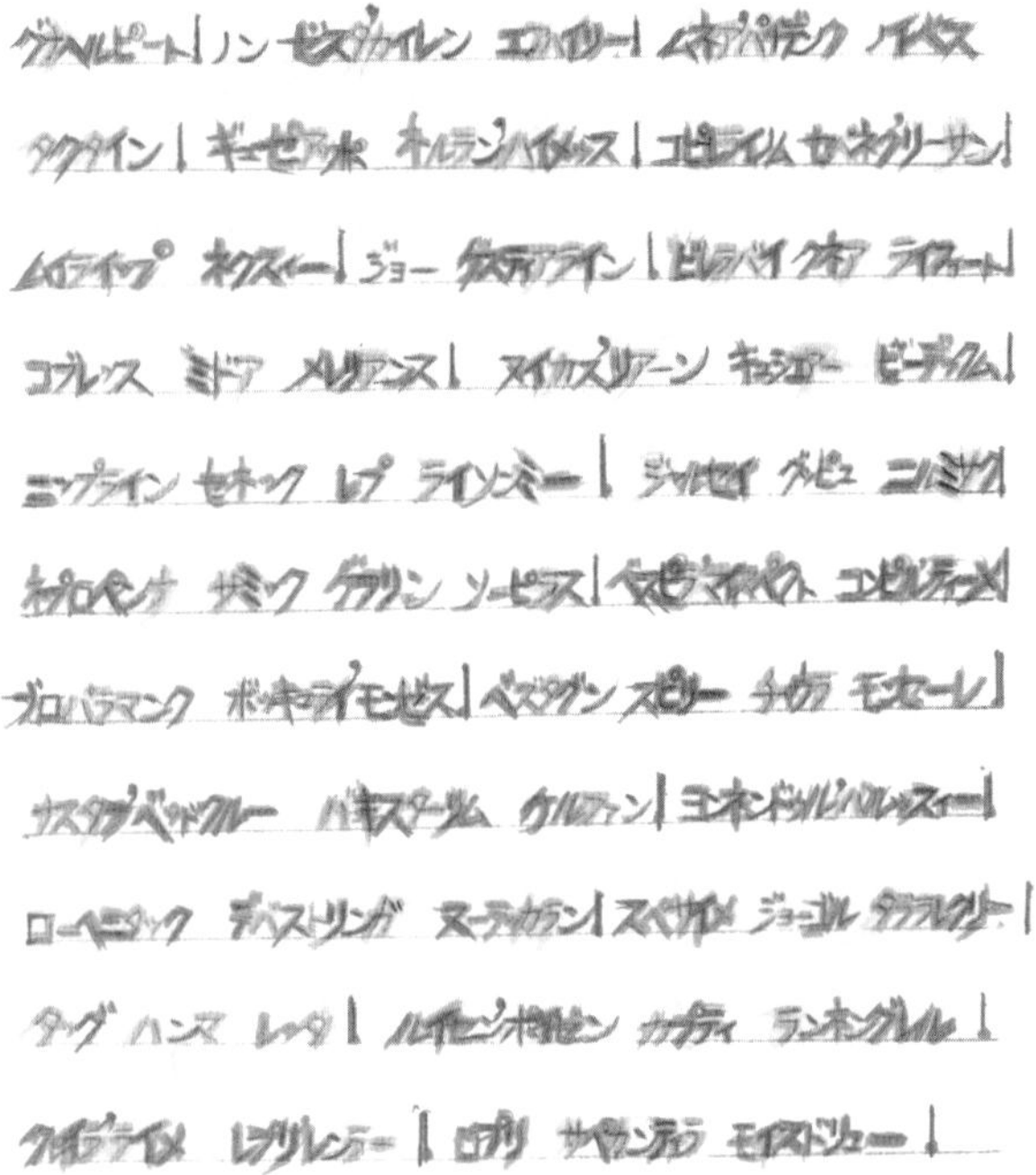

※「１字分空白」が、各語句の境目。’（アポストロフィー）は、１語句内の音節区分。｜（縦線）は、１行分まとまりの切れ目に相当。

一つ原因として、詩語そのものに備わった「韻律」及び、「意味内容」の関係を巡る迷いが考えられる。

双方充実させるのは機能面で無理が有り、「あちら立てれば、こちら立たず」……。

歴史的に見て、過去は「韻律優先」（音楽的）、そして時代が下る程、詩文章の「意味内容重視」となった模様。

それは、文明社会の発展に従い、人々の精神生活もとことん複雑化し、そこから醸し出される「詩情」が、古典さながらの決まり文句に納まり切らなくなった所為だろう。

所謂「現代詩」が広まった二十世紀以降、傾向著しい。

どの名詩も、如何に作為された用語スタイルが多い事か――正直、「惨状」と言いたくなる。「現代音楽」・「現代美術」も、似通った成立背景であろうが、こちらは音楽メロディーや、造型・図案に、世界中たった一人――作者のみの感性を、限り無く盛り込める。

詩になると、そうは行かない。

言語では、世の中に丁度、毛細血管同様、一人でなく万人の心と結びついた「意味の約束」が存在する。

多少、解釈・運用に幅を持たせ、時には「嘘《うそ》も方便《ほうべん》」の喩《たと》え通り、逆作用効果に訴えたりできるが、それらも、大本《おおもと》の語意に対する揺るぎない信用有っての話。

近・現代詩人達の高度過ぎる（？）文学的アクロバットには、しばし首をかしげたくなる。どこか外国の祭りで、収穫した美味しいトマト果実を、石弾代わりに投げ合う合戦遊び紛《まが》いの勿体無さだ。「言葉使い捨てゲーム」……。

かと言って、ごく軽々しい扱いで読み流せるならまだしも、創作態度はプライド満々。皆、押し並べて構え、突っ張った語り口が鼻持ちならない。

どうも、これは、「言語表現も科学技術同様、絶えず進歩させねばならない」ような固定観念のなせる業《わざ》か？　しかし言葉や、その「意味」は元々、詩作の素材用として生み出されたものでない。

生物たる人類にとり、意味数も、言わば「限り有る地球資源」に属する。一部の新語や死語による入れ替わりを除けば、「本物」を大量生産したり、選抜・審査の上で定期モデルチェンジ――など、実際できない。それは、社会全体が依然、ますます機械化・規格化・無機質（砂漠）化し続けようと、百パーセント不変である道理を肝に銘じるべきだ。

我々人間が暮らす上で、日常・非日常体験含め「言葉にできない想い」を抱かされる機会は、確かに多い。

喜怒哀楽すら明確でなく、どうとでもなりそうな風情なのに、長く痼《しこ》りを生じ、食欲から全体調まで左右されていたりする。

近・現代詩世界に有る閉塞感は、案外重要度の高いそんな領域の事柄を、既成言語のみで表し切る無理が原因かも知れない。

結果、言葉同士が上滑りにぶつかり合ったり、相性悪く水と油のような混ざり方で淀み、各語固有の意味内容さえ著しく損《そこ》なっているケースが少なくないだろう。

肝心な創作テーマ達成も、殆ど中途半端で終わるジレンマが現状。「言葉にならない」ものは、やはり、ならない。


　社会生活環境と合わせ、人間心理構造も、恐らく〝進化〟し続けている。只、それをひどく言い表しにくくなったのは、果たして「『言語』側の対応が遅い」所為だろうか。

我々は最近、意味自体が物凄く希薄過ぎる事柄達に毎日取り囲まれている気がするのだが……。


　時たま、テレビニュースでトピックス報道される大分県湯布院町の年中行事に、「牛喰い絶叫大会」が有る。

　秋、十月中旬、さわやかな高原地帯へ老若男女大勢集まり、バーベキュー焼肉をたっぷりご馳走になった後、〝肉食エネルギー〟で以て、心を野性に返し、日頃溜まったストレスや欲求不満も全部解消しましょう——という試み。

　行事の起源や、発案者紹介等、まだ聞いた事無い。まるで「縄文日本人」の発想が現代に甦った如き、見事な地域起こしの一例であり、感心させられるが、テレビ取材に登場する参加者達の様子を窺《うかが》う限り、どうもちぐはぐな聴き応えを覚える。

要するに、お行儀良いのだ。

放送場面が、ほんの四、五人こっきりだから直接、現地で全員見物した印象まで掴めない。

あえて評するなら皆、受験合格祈願や「選手宣誓」紛いに、当面の仕事ノルマ達成とか恋愛告白、また遊び関係でも、過去叶《かな》わなかった目標実現を〝願掛《がんか》け〟する声が多い。

「ありゃ、何だ？」と思ってしまう。

別段そんな場所で、わざわざ持ち出さなくてもいいのに……。

広い高原上、野性的楽しさいっぱいな伝統行事を誇りつつ、世間狭い模範台詞《せりふ》ばかり優先し――一瞬、やや白ける。

もう少しいい加減になり、体内の溢れ返る有象無象《うぞうむぞう》を、すべて叫び尽くす事が趣旨ではなかっただろうか。

ところが、案外これは厄介なのかも知れない。

欲求不満剝《む》き出しで、

「バカヤロー！」「コンチキショー！」「シンジマエー！」

――等、有らん限り悪口雑言《あっこうぞうげん》を撒《ま》き散らしたら、本人は一時さっぱりするものの、取り巻く参加者一同や主催者にとり、あまり快くないだろう。

せっかく腹一杯食べた焼肉の味わいも、気まずさを帯び、帰宅後、胸焼け・胃もたれ・消化不良につながりかねない。

私は、ここにこそ純粋韻律が役立つ見込みを、強く認める。

「絶叫」という物理的な音声エネルギーの放出を促す以上、文学的でなく、あくまで音楽的に演じて欲しいものである。

「願掛け内容」選びの善し悪しなんて、ハナから気にする必要無い。

突然、

「**アビアビアビーッ！**」

と、訳の分からない文句を叫んだって構わないし、猛獣や海鳥を真似て、

「**ギャオー！**」

「**ガガガー！**」

「**ウエッウエッウエッ！**」

幾らでも湧き出す。その方が余程、「自然回帰」をもたらし、向かい側——遠い山並みへ届く位、力強く発声できる筈だ。発案者の、大和魂に満ちた縄文時代的（？）九州人も喜ぶに違いない。

赤ちゃんがやたら泣き続けるように、あらゆる心理を何もかもそこへぶち込み、勢い任せで十数回がなり立てれば、程良いストレス解消となり得る。

現代人は、言葉に表せない様々な不満・不安・本能欲求が、未消化なまま次々体内へ溜まり、それら異常発酵の便秘状態をきたしているようだ。

もし、純粋韻律により、精神生理の不純物を幾らかでも排泄《はいせつ》していただければ幸い——と任じる。

7

詩の音楽性を考える際、大切なのは表現上、「響き」の種類をきっちり区分けできなければならない点だと気づいた。

声として発する訳だから、紛れもなく音が主体なのだが、それら一種一種独立し、読み手・聴き手の脳裡で持ち味を示せるため、最も役立つ媒体は、私の場合、「色」だった。

やや意外な判別基準?

しかし、ここで、どうやら「詩＝音楽」説の裏付けが十分取れそうな手応えを感じた。解釈の面でも詩が、末端的な擬似音楽扱いから、独り立ちできる分岐点になるのだろうか、と——。

文学とは不思議なもので、〝口頭陳述〟のみでは成り立たない。「文」の名が示す通り、紙面に書かれたり印刷された文字の占める領域が、名実共大きいのである。

即ち、視覚芸術の一分野なのに現状では、むしろそうした本分を疎《うと》んじられ、専《もっぱ》ら「意味内容」を言語伝達する役割ばかり突出している。

ここに、問題を解く鍵が隠されていたかも知れない。

例えば犬の鳴き声だと、我々は日常しばしば、本物の犬から聴いたり、人が「ワンワン」と真似る声を聴くが、本の物語に登場する犬の鳴き声は、実質、見ている訳だ。間違い無く視覚世界。

しかも、そこで聴覚・視覚の相互乗り入れが為《な》された事になる。意識せぬ内、神経作用により情報消化し切るまで、そうした工程が進むらしい。


もう一つ、好例を上げよう。それは「絵本」――。

前半で「歌」を、「詩―音楽」関係の実用手段という点から取り上げた。しかし、別分野同士の境目に位置する「複合芸術」＝詩は、過去、絵画美術とも限り無く豊かな結び付きが見られ、今尚、童心の拠り所を担っている。

絵本の文章は、性格上、すべて「詩句」と考えていいだろう。これ程、絵そのものと調和する補助表現手段は無い。

「絵のための文章」「文章のための絵」――どちらともみなせるが、子供達はそれを読んで、絵世界の詳しい状況を把握でき、一方、詩句で語られる具体的イメージを、絵から授けられ、想像がスムーズに進む。

文章のみだと、どんな風景下で話が展開しているか――あれこれ考え出したら、迷わされ易い。

また、擬音語・擬態語をたっぷり使った子供向け詩集も、色刷り挿し絵とセットならば、只読み流すだけで楽しい気分になれる。

そこは「物語展開」の善し悪しなぞ、二次的な問題。詩句が、何ら絵を詳しく説明できない位、関連性薄かろうと、両者間から、結構新しい時代感覚が醸されていたりする。

視覚と、紙面に意識された聴覚が溶け合う絵本世界は、幼児にとり、親子の家庭秩序から一時解放されたファンタジー以外、何物でもなかろう。

絵本では普通、ページ紙面大部分を占める着色画及び、白地と黒インク文字の詩的文章が組み合わされる。

時たま、全面絵画の片隅に文字が重ね刷りされる場合も有り、比べたら当然、「絵が主役」と言える。

また、色刷り文字が載った絵本は、主に数字やカナ（かな）教育用が多い。

そこで主客逆転――線太く描かれた文字範囲が、絵画部分よりも大きく見えがちだ。

絵自体、漫画風に簡略化されたものも多く、読者の目があくまで文字側に集中できるよう工夫してある印象。

幼児達は、そんなカナ文字をどう受け入れるのか？

勿論、音読を前提に作られたものだが、黙読でも効果を発揮するのが色刷り部分。黒インク一色の場合と比べ、人は先ずそこへ、目を奪われてしまう。そして瞬時、文字種類まで読み取る事でカナ音認識し——実質、「音を見分ける」事になる。

これは言語的働きで、既に音そのものが具象化（文字化）されていたからこそ可能だった。

日本では、古来、文字綴り方芸術——「書道」を守り続けてきた。漢字だけでなく「かるた」等、ひらがなの書も名品が多く伝わる。

但し、専《もっぱ》ら語意に脈打つ精神・情緒面を重んじた「字体造形」の趣が強い。

片や「純粋韻律」は、言葉の響きに特化した嗜みであり、使用文字も「意味内容」抜きで、音のみを表せる「五十音カタカナ」限定。

その音韻秩序に欠かせない六色が、もし美術性を発揮したなら、副産物として丁度、書道と似た鑑賞品扱いも考えられるだろう。

六色共、それぞれ文字母音と分かち難く結び付いた関係だから、子供達に、絵や書道とは一味異なる情操を与え、また「語学」に先駆けた音韻教育の面で、効果が期待できそうだ。

8

秋深まり、地面を覆う枯れ落ち葉や、昆虫・小動物の死骸が、もっともっと微細なバクテリア類に食べ尽くされ、分解され、土へと還るように、人類文化上の「生き物」たる言語情報（芸術も含む）は、それを読み、聴く人々の頭や心で、「理解」により消化吸収され、精神的栄養となる。

即、消化され易い素材の一方で、新鮮過ぎると「煮ても焼いても食えない」代物だって少なくない。

しかし殆どは、時間の経つ内、多種多様――個性強い脳細胞の作用に晒《さら》され、〝有機化〟する。

熱帯の、とある島では、産出されるタロイモ（サトイモ）類一種を収穫後、数日置いて、発酵したものを餅状に搗《つ》き砕《くだ》き、広い葉っぱで包み、蒸してから食べる。

昔、生《なま》の芋《いも》から強い毒成分を抜くため、半ば人工的に腐らせた習慣の名残《なごり》だと言う。

日本でも、漬《つ》け物《もの》や味噌《みそ》・醤油《しょうゆ》は勿論、酒や納豆、はたまたチーズ・フナ鮨等、珍味に至るまで、日頃、食生活に「発酵」という質的変化の恩恵を、多く授かっている。

生《なま》の状態より遥かに深いコクが得られ、ぐんと高級感を増す。

美味しさもさる事ながら、栄養面で、より良い働きが有り、消化促進につながる。

通常、咀嚼《そしゃく》し、呑み込んだ後、体内でもたらされる変化を、食製品段階に先取りした話でもあろう。

ところで、芸術鑑賞を「心の食事」と見立てるなら、どのあたりが発酵過程に位置付けられるか？

私は、純粋韻律による韻文（音楽詩）黙読を、そのささやかな一見本として、広くお届けしたい。

実際問題、若い女性や少年の澄み切った美声ならともかく、一般的な詩の朗読会で、「心洗われる音楽」を堪能《たんのう》できるものでないし、自ら読む場合は尚更。意味内容が刺激的だったり、奇抜な音節リズムで楽しめる程度なら、限られた知的興味の範囲内だ。

しかし、純粋韻律は、各カナ文字が持つ「音」そのものを、明るく親しみ易い基本六色で分解し、読む側に両目から味わわせる事ができる。

読者はカナ音を「字体」として確かめるだけでは、もう一つ実感しかねている場合も、一母音系毎に色分けされた状態で、各文字から異なる音色が発されつつ、沢山集まり、一部溶け合うような様子と直接触れれば、それは――別次元へ横滑りで分解・発酵しかけた「音」を、どんどん消化吸収している反応に等しい。

現代人に詩朗読を、生《なま》のままでは音楽として、中々旨く味わえない理由は、電気通信技術が大発達し過ぎ、耳が、機械から流れる「擬似実音」にばかり合わせ聴いてしまう神経構造も有るだろう。

近世以降、「音楽——即、楽器演奏」の意識が根づき、最近は所謂「デジタル社会」の影響で、楽器音自体、次々電気信号化が進み、木製や獣皮製（羊腸線＝ガットを使ったバイオリンの弦も含む）等、〝本物〟から発する音質まで珍しがられかねない按配だ。

古来——ずうっと長い間、人声は、単独で立派な音楽だった。その点、鳥や動物の鳴き声と全く同じ。しかし……、製音道具——即ち楽器の演奏で、音程のみ自由移行できる「旋律」よりも、人声は、ほぼ同じ音程のまま、音形種類のみ絶えず入れ替える「韻律」が都合良い。言語使用する日常生活の条件からも、理に適《かな》っていた。

詩は、そうしたオール人声音楽の「韻律メロディー」を記した楽譜も兼ねて、発達した筈。

只、それが音符のような専用記号でなく、一般文字で兼用したため、言語用途と区別されず、文章化されたまま世に根づき、「果たして詩は、音楽か？　文学か？」の、根本的矛盾を抱え込まざるを得なかった——。

今となっては、この問題を誰一人、すっきり解決できまい。

それでも私は、韻文が紙に記され視覚化される一段階を捉え、そこへ「純粋韻律」なる色分け基準を導入する事により、文章を音声分解し、隣り合う音文字同士生じる見かけ上の混色——「ハーモニー」（そこを「発酵作用」と考える）——で以て、人目から頭へ、心へ、消化吸収し易いよう工夫を凝《こ》らしたつもりである。

　常識的に何の変哲もない事柄を、別次元へ移し、再び眺め直したらなぜか、より詳しく本質を掴め、理解できる場合が有る。

　数学の「微分」等、これに当たるかも知れない。

　例えば、三次関数——

・$Y=X^3+2X^2+5X-1$

を、微分したら、二次関数——

・$Y'=3X^2+4X+5$

となる。

　三次関数にて「X^3」——即ち、Xを三個掛け合わせるための数値が、微分後の二次関数では、X^2を三回足すための数値に、そっくり平行移動してしまう。

「所変われば役割変わる」典型的な例と言えよう。

　純粋韻律で音声提示・展開する際、色彩を全面使用する手法も、これに一脈通じる？

——そう確信できれば、とても光栄だ。

　我々人間は、心（身）内に、適切な言葉として表せない想いや衝動が絶えず湧き上がるのを、日々これ我慢しつつ、溜める一方になり易い。或る意味、生き物である以上、宿命的……。

無論、快・不快含め、あらゆる要素が絡むそれら中身も、いずれ人生の肥やしとなる分泌物に他ならない。

詩人達は、身辺で起こる事象すべてを、既成言語のみで素早く書き取ろうと工夫し続け、稀《まれ》に成功するものの、大抵はその挑戦行為こそが、芸術家的生き甲斐を段々占めていく。

詩句が感動をもたらすのでなく、感動が詩句を書かせ、あるいは思い出させる——と、考えるべきか。

そうした生涯体験も、決して数多くないから、とことん味わい尽くしたいもの。

才能足らず、詩人の真似事すらできない時、せめて心内をすっきり、風通し良く開こう。溜まったモヤモヤ気分を次々、純粋韻律に変え、脳裡で漂う曖昧な「仮の声」であっても、好き放題絶叫し、発散しまくればいい。

また、そこから紙一枚分メモしておき、母音系毎に色鉛筆で文字を塗り分け、壁貼りされてはいかがだろう。

まるで春めいた休日の、昼過ぎ頃の白っぽい空に浮かぶ「生きた虹模様」として、色彩音語達が、以後も毎日、目を癒《い》やしてくれるに違いない。

第四部　音楽と私

1

手前味噌な告白を許されるなら、小学生時代、私は〝大音楽家〟だった。楽譜なぞ凡そ正しく読み取れないし、楽器も「弾ける」レベルでなかったが、頭の奥ではしばしば、自作の〝オーケストラ名曲〟が堂々と鳴り響くのだった。

それらを楽譜に書き留めたい、と考えた事すら無い。

毎度似たり寄ったりだが、新しく紡《つむ》ぎ出すメロディーと、そこから連想される自然風景との調和が甚《はなは》だ快く、とことん浸りたくて、もっとドラマチックな盛り上げを求め、熱中したものである。

「自然風景」と言っても、実家（ちょっとした斜面中腹に細長く占める）の庭内が中心であり、また周囲は、当時、近郊集落のどこでも見受けられた雑木林や、田んぼ・野原の類《たぐい》。しかし〝大演奏〟中、自らハチかチョウに成り代わり、木から木へ、花から花へ飛び回るような気分だし、庭内を、あたかも広い一国土とみなして愛せるミニチュア感覚が、貴重だったに違いない。

想念だけにより即興展開できる自作名曲でも、色々ネタが認められた。

一つ、考えられるのは、大序曲「1812年」――。

父が結構、音楽鑑賞好きで、大体、月一回位、土曜日の夜や日曜日の朝方、我が家では、幾つか「お決まり」的なクラシック名曲から一、二曲、テープレコーダーで再生放送していた。

何度も聴かされたのが、交響曲――ドボルザーク「新世界」・ベートーベン「運命」・チャイコフスキー「悲愴」・シューベルト「未完成」――。

他、ロッシーニ「セビリアの理髪師」・モーツァルトの「セレナーデ」や「ピアノソナタ」も時たま入り、団らんを彩った。

夕食後、四畳半――茶の間。白い蛍光灯照明が一本灯《とも》り、掘りゴタツ式の四角い食卓を、家族四人が囲む。

お膳《ぜん》中央には、今なら驚く程サイズの大きいテープレコーダーがのっている。父がスイッチを入れ、作動し始めると、テープディスク（直径約十五センチ）がゆっくり回転する様子や、精密機械部品同士、微かな擦れ合う音のメカニズム感、そして分厚いプラスチック製本体からほんのり漂う化学成分臭――それらが、格調高い曲想と相俟って、週末家庭文化の一幕《ひと》を演出した。

淹《い》れ立ての紅茶を、各々飲みながら――ならば、言う事無し。

父はとにかく「新世界」が大好きで、強く思い入れていたが、私は、第二楽章（通称「家路」）等、部分的に惹かれるものの、全体は、哀愁ばかり濃過ぎる表現が、中々ついて行けなかった。

「運命」のテープがかかる土曜日――夜は、聴く度、衝撃的な短調動機に、先ず驚かされた。

　第一楽章内を通じ、「怖さ」がみなぎっていた。まるで明る過ぎる満月の深夜、あちこちそそり立つ断崖絶壁をなぎ倒し、体長数百メートルも有る恐竜が一匹、吠えまくりつつ暴れ回る感じで、とても味わう気になぞなれない――。

　それが次楽章以降、一変し、平和過ぎる位、安心な世界へと導かれる。

　私の場合、第二楽章は、ふんわり穏やかに晴れた週末、半日通学から帰宅後、自宅の庭から近隣集落を、楽しく眺め下ろしている気分。

　第三楽章の冒頭――早朝、まだ明け切らない内、狭い裏庭で、昆虫やミミズはじめ小動物達が少しずつ目を覚まし、濡れた溝辺や、地面にうごめく様子。

　中間部は同じ裏庭で、日当たり強くなりだし元気な、午前中の生き物模様。子供時分はいつも、黒々と固まったまだ熱い獣糞《ふん》を連想していた。やがて、音弱く主題再現。しかし、そこで終わらず、途切れそうになりながらつながり、段々盛り上がって……。

　第四楽章開始――正午頃、淡く晴れて透き通った北空（我が家正面風景の、丁度背後）に、限り無い高さの真っ白い巨大入道雲を見つけたような感動――しばし、有り難く聴き入るばかり。

曲は、そこから終わりまでの時間、ずっと、或る所では雪崩《なだれ》を打ってほとばしり、また或る所では見晴らし良く広がり——後から後から恵みが湧き続ける大河の流れとなる。

それは素直なまで、有りのまま語られる自然讃歌・人類讃歌であり、幸せ感をたっぷり表現した展開に、聴く側も心を開き切り、永遠に浸っていたい程、すがすがしい。


当時、これら三つの楽章と、第一楽章が、イメージで直接結びつかなかった。全部同じ作曲家である点は、父の説明からうっすら認識できる程度。

何か二部に分かれた組曲形式を持ち、その第一部（第一楽章のみ）が「運命」タイトルで呼ばれる、という実感だった。

そこへ行くとチャイコフスキー作品は、全曲的まとまり感が凄い。

「1812年」——祖国防衛の戦争に勝利する情景を描いた、歴史スペクタクル管弦楽だ。

何度も登場する勇ましい主題の周りを、煽動性・甘美な静けさ・民族音楽ならではの哀調——と、あらゆる場面にぴったり応じた副メロディーが沢山織り交ぜられ、大団円では旧（ロシア）国歌演奏。そして一際《ひときわ》力強く、かつ歯切れ良いラストの凱《がい》歌が、聴いていてたまらない。

交響曲「悲愴」も、かかり出しの重苦しい主題（ロ短調）提示を除けば、語り口は険しいながら大変明快で、説得力抜群だ。

私が好きなのは、絶望的な暗い冒頭主題が様々に変化し、躍動後、それを癒《い》やす頃合で入ってくる夢見心地の第二主題（二長調）。

それから後段――エネルギッシュ極まる第三楽章。まるで、朝日に輝く大雪稜群を、近くに遠くに眺め渡す気分が湧いてくる。

メロディーはいずれも、西洋風とも「スラブ風」とも受け取れる微妙なエキゾチック――大陸気質に満ち、いつしか手放しでファンになってしまった。

私が普段、知らず知らず口ずさんでいた自作〝オーケストラ曲〟も、「1812年」をベースに、「悲愴」から好みの断片を順次拾い、つなぎ合わせたような代物だったろう。

只、チャイコフスキーには後年、かなり幻滅させられた。

具体的には、「1812年」の一番見事な主題メロディーが、彼直接の作曲でなく、フランス国歌「ラ・マルセイエーズ」に他ならない事。

もう一つ――「『悲愴交響曲』のフィナーレは第四楽章」と知った事――なぜなら、家のテープレコーダー分はラジオ放送を録音した都合上、明るく輝かしい第三楽章終了まで鑑賞できた。

当然、それのみが正しいかに鵜呑み状態――。私の性格上、曲想にハッピーエンドを求めがち故、全く疑おうとしない。

中学一年生頃、たまたまラジオ放送番組で、全曲通した「悲愴」をじっくり聴き、ラスト――沈み切った深刻な情感のまま、どこまでも掘り下げられていく流れに、正直、戸惑いが生じてしまった。

青年期に入り、日常接したくなる音楽的好みも、巷《ちまた》で次々発表されるポップス系新曲に傾き、段々、そちらばかり良く思え出した。

大流行《おおはや》りのロックンロールまでは受け付けず、私が惹かれたのは映画音楽類。対象映画そのものを今日《こんにち》も尚、観た事無いのに、一部メロディーはしっかり覚えてしまったものが沢山有る。

中学・高校時代、校舎内で朝――始業前や昼食時間、よく流されていた。

当時、それらは各々、元の映画からすっかり離れて集まり、私にとり、青春生活のBGMと化したかの如き錯覚を、強く抱かせてくれたものだ。

2

そんな私が再び――いや、正しくは初めて、クラシック音楽に目覚める出来事が起きた。

――高校一年、一学期半ば――初夏の頃。

晴れた午後。学校より帰宅時、母と一緒の茶の間で、白黒画面式テレビがつけられた。いつも通り、お馴染み時代劇を観るためだが、その民放へ切り替える際、「NHK教育」にもチャンネルが回り、丁度、NHK交響音楽団（N響）——名曲コンサート番組の再放送中だった。

母が、

「わぁーっ、『新世界』やってるわあ」

と、喜ぶ。

昔、父が操作するテープレコーダーから何度も聴いた妙《たえ》なる調べが、午後三時のお菓子をつまみながら満喫できるとあって、しばらくオーケストラ見物 旁《かたがた》、「教育放送」を楽しんだ。

それ以前の、父がかけるFMラジオ音楽放送やら、テープレコーダー録音の名曲と異なり、あくまで「珍しい音楽番組」扱いであり、あの感傷いっぱいな「新世界」フィナーレも、なぜか日常習慣的に受け入れられる。

母は、周りと比べ一際《ひときわ》真剣な弾きっぷりが目立つ先頭バイオリニスト（コンサートマスター）を、物見高く評し、聴くよりも観る方で、多く感想が飛び交った。

曲終了後、軽いアンコール。

そして、上品な年輩解説者による結びのコメントを聞き、

「さあ、今日のお昼はもう、そろそろテレビを切るか」

と、動きかけた時、私の目・耳へ同時に、衝撃が届いたのである。

スイッチを切る寸前の微妙なタイミング――画面には次回予告映像と、そこで奏でられる楽音が流れていた。

十五歳の私にとり、過去一度も出会った事無いのに、即納得できる気高いメロディー――その深さ、涼しさ、短調にも拘らず憂いや悲しみと遠く、代わりに静かな救いのみ満ちる――凛《りん》とした格調。私の心はたちまち釘付けになってしまった。

指揮者を中央にし、演奏オーケストラ側から眺め下ろす拡大映像。最下段の曲名表示を、すかさず読む――「ベートーベン交響曲第七番」と――。

〈えーっ！　まさかこれが、あの？　……〉

驚く一方で、本能的に事態が呑み込め、対応してしまう自己もいた。

ベートーベンと言えば、全曲知るのは、第五＝「運命」交響曲只一作だが、同曲からなぜか醸される身近さ――丁度、我が家の庭内外が物語舞台であるような――同じ自然指向を「第七」に、濃く嗅ぎ取り、引き寄せられたのだ。

先程まで、茶の間の主役として君臨中だった「新世界」も、どこかへすっ飛び、私は、次週の同番組を絶対見忘れぬよう、母に念押しした。

心なしか母も、そちらへ興味が傾いている様子。一つは、奥ゆかしい演奏風景に包まれ、大映しされる指揮者——ヴォルフガング・サヴァリッシュの容姿が気に入ったらしい。

当時、まだ四十六歳。知的な高い額と共に眼鏡がきらめき、むしろ博士顔——控えめ、優しく透明な表情は堅い意志力と一体化し、人物イメージが、丁度今、指揮しているメロディーにぴったり嵌《は》まる。

演奏会場が、まるで昼とも夜ともつかない、どこか天上の深い森の中と思える程、俗気無く、それ故、却って馴染み易い。

テレビ機器の種類で、今現在と比べ、白黒映像画面だけが持つ品良き味わいでもあった。


そうやって私は、新しい発見なのに、思い出アルバムに食い入るような共感（時には郷愁）を催しつつ、ベートーベン（以下「B氏」と記述）音楽の扉を次々開ける事となった。

同年はB氏生誕二百年に当たり、放送局——特にNHKで、記念番組の取り組みが熱心だったようだ。

私の貴重なB氏〝初体験〟は、第七交響曲でも際立って印象深い名曲部分——第二楽章（イ短調アレグレット）の前段で、序奏後、主題メロディーが初めてくっきり示されるあたりだった。

N響番組の同企画も、次週、また次週——と盛り上がり、約一ヶ月余り後、最高傑作とされる「第九交響曲」（サヴァリッシュ指揮）が登場した。

思うに、明治維新以降、日本人は強烈なB氏信仰に縋《すが》ってきたのではなかろうか。単なるB氏好きでなく信仰——宗教感情に近い。「B氏教」と呼べるだろう。世界中でこれ程、B氏を芯から尊敬する国民は、恐らく他に無い。

3

毎年、暮れが迫ると、十二月二十四日・二十五日のクリスマスを祝った後、正月まで数日間、デパートやスーパーマーケット内のBGMは至る所で、第九交響曲——第四楽章主題「歓喜の歌」メロディーが鳴り響く。

そして大晦日《おおみそか》——十二月三十一日は、恒例の「第九コンサート」——一般市民からも盛んに応募し、大勢で朗々と合唱する姿が全国各地、テレビニュースのトピックスを賑わせる。

丁度、クリスマスや復活祭当日、信者達が教会へ出向いて、ミサの讃美歌を唄うに等しい熱心さ。キリスト教徒でない日本人にとり、或る面イエス・キリストよりもB氏の方が、理解可能な近代的偶像となり得た感も強い。

確かに「苦しみを突き抜けて歓喜へ——」という彼の人生信条は、道徳面から見て意義深く、青少年教育に好影響を期待できる。

只単に「偉いから尊敬される」訳でない。崇拝されている――誰あろう、B氏は「神様」なのだ――。

あらゆる西洋音楽家の内、少なくとも日本人から、常日頃「楽聖」と呼ばれ、慕われ続けてきた人物はB氏のみである。なぜだろう。

生前、楽器演奏や作曲の技巧が、史上稀な卓越レベルだったから？　――それは概ね事実であれ、彼一人がこれ程神格化される根拠として、弱い。

正解は、B氏の生涯に、紛れなく「神化」過程が刻まれている特徴だろう。他ジャンルも含め、世で知られる「偉人」達において、そうした例はあまり見当たらないのである。

B氏の人生行路に際立ったドラマ性――それは、この世にて「天国・地獄」を両方味わい、「死と復活」さえも体現した点だ。

――B氏は青・少年期、並外れた音楽才能に恵まれ、「『第二のモーツァルト』＝神童」と、もてはやされながらスター生活を送っていた。

貧しい家庭出身とは言え、演奏活動だけで、どこへ赴いても大家扱いされる程、満ち足りた青春環境だった。

ところが、その最も得意、かつ誇りの源だった音楽感性に、直接禍《わざわい》する聴覚障害が生じ、「天国から地獄へ」の暗転となる。

もし彼が月並みなピアニストなら、諦《あきら》めるところは諦めて、あっさり転身できたかも知れない。

「まともに弾けない分、作曲で頑張ろう」

と、活動の中心を切り替えられただろうが……。

楽壇から先々嘱望され、人気高い「実力派の大ピアニスト」である事が、まだまだ旺盛な演奏意欲と相俟って、逆に絶望感ばかり際立たせ、とうとう死を決意するまで至る——。


だが、ここで、新展開を迎えた。彼は自殺を思い止《とど》まる。

音楽家にとり致命的な耳病の災難であろうと、真《ま》っ向《こう》受けて立ち、打ち克つ心を貫《つらぬ》いて、王道へ返り咲く——こうした模範精神が、教育的な方面からも語られ易い訳だが、そこにまた、極めて特殊な背景が絡んでくる。

——耳病は、伝記によれば二十歳代後半頃から始まったらしい。

年々、悪化の一途を辿り、もう「自殺」しか考えられなくなってしまうのが三十歳代前半。長々と遺書まで書き残した事からも、本気の意思は疑う余地無い——。

その彼を甦《よみがえ》らせた奇跡こそ、「半神」＝ナポレオンの栄光だった。

B氏と丁度、同世代人。

隣国とは言え「歴史的大革命」の申し子となり、理想世界建設へ向け、戦勝を重ねる英傑。

政敵の嫉妬《しっと》から、追いやられたエジプト遠征等、ひどく不利な待遇も、むしろ、さらなる功績に変えてしまい、結局、彼を先頭に立てねば、国全体が立ち行かなくなる原理を実証した。

B氏には、この信じ難い現実離れの天才将軍が、相当眩しく思えたに違いない。〝双子の兄〟位しか年も違わないし、隣国人なら余計――。

それに引き換え、同じ位皆より抜きん出て成長し、世の名声も欲しいままだった自分は……と、情《なさ》け無く、悔《くや》しかったことだろう。

しかし病気は病気。B氏の方は、ライバル同業者でもない内なる透明な敵に、身心共侵《おか》されて行き、ますます進退これ谷《きわ》まる。

そこで考え至った策は、「生き地獄」の自分を、形振《なり》り構わずナポレオン（以下「N氏」と記述）の神通力に救って貰う事だった。

藁《わら》にも縋る思いで、彼は、「N氏崇拝」に転じた。

単に真っ当至極な「思い止まり」でない。何せ生き神様（「革命大天使」？）が、同じ地上にいらっしゃる訳だから、自ら持てるすべてを捧げたい気持ちになれた筈。

そうやって一心不乱に取り組んだ結晶が、第三交響曲「英雄」だ。

第三交響曲は、彼の人生史における一大逆転――奇跡が刻まれた点で意義深く、象徴的。

私は現在、以下の通り解釈している。

・同曲は、B氏が当時、全面崇拝し出したN氏を、精一杯とことん描き上げる奉献曲。その姿勢に、彼が〝神〟＝N氏と一体化し、自らも同じ高みへ引き上げられる事で、俗世的な死を乗り越える目的がかかっている。

・俗世的な死は、「耳を病に侵された超一流ピアニスト」――という立場上、もはや逃れられない定めとなり、彼は曲風を、極度な「生と死のドラマ」に仕立て上げた。

・全曲構想は、恐らくもっと早い時期、ヨーロッパ中を沸《わ》かせるカリスマ新将軍への〝追っかけ心理〟から、明朗闊達《かったつ》なイメージでほぼ固まり、断片的に下書きも終えていた。しかし、やがて、他所事でない己自身への御利益《ごりやく》を意識させられると、第一・第二楽章制作に、殊《こと》の外思い入れ、殆ど全力投入してしまう。取り分け第二楽章は、当初の予定変更で、大葬送行進曲となる。

・誰を弔《とむら》う葬送行進曲か？　――実は英雄（＝N氏）でなく、作曲者B氏が対象だ。彼は、自らの身の上に関し、遺書通り自殺を決行――と、はっきり仮定して考えた。それ故、あれ程重々しく、長大になった事が推測できよう。

・そして、従来プラン曲想に戻った第三・第四楽章は、死後、N氏の霊性に引き上げられ一体化し、再びこの世へ生まれ変わった己をも顕示する心意気が著しい。――「死と復活」の、宗教的明確さ。

耳病――（仮想上の）死――「生き神」N氏と合体し、自らも新しい神となり復活――。

第三交響曲における、この構図こそが、B氏を「楽聖」たらしめた絶対条件。他、数有る名作曲家達と決定的な違いである。

それ故、大作品完成と時ほぼ同じく、実のN氏が皇帝に就いた事への怒りは、尋常でなかった。

彼は、とてつもなく過剰な期待を寄せ、叶《かな》う一歩手前で、それらすべて取り払われた心境となり、第三交響曲完成稿の表紙タイトルから、N氏名をきっぱり削除してしまった。

気持ちは痛い程分かる。

重い耳病により「天国から地獄」の、むごい落差を味わい、自ら「この世で最も不幸な男」と、嘆かされたB氏にとり、たった一筋《ひと》――僅かな確率から希望へと振り向かせてくれたN氏は、この世で最も神々《こうごう》しい「新時代偶像」であり続けて貰わねばならなかった。

それが結局、私利私欲まみれ――封建的な俗世の一国家元首に成り下がるとは……。

踊らされて舞い上がり、また突き落とされる自分を、夢の中のN氏が嘲笑うように感じられ、さぞ呪わしかった事だろう。

……しかし、私は、別方向から見れば、それも半ば過剰反応だったと推測する。

十九世紀初頭。情報伝達もまだまだ遅く、不十分な時代だが、もしB氏が何か機会良く、N氏戴冠《たいかん》式の一部始終をも、あの巨大なダヴィッド画（現在、パリ市ルーブル美術館所蔵）さながらに、隅々まで知らされたなら、果たして激怒に狂っただろうか？

奇しくもN氏は戴冠式の当日、列席した教皇からうやうやしく授けられるべき帝冠（純金製）を、突然持ち上げると、彼自らの両手で頭に被せ、次、すぐ正面で跪《ひざまず》く妻の頭にもしっかり被せた。

これは、どう見ても「封建政治への迎合」に非《あら》ず――まさしく市民革命成功と、終了、そして国家秩序が回復した事を、体で表明している。

そこにはもう一つ、深い因縁が秘められている。

即ち、欧州の政治史上――中世以来、十数世紀間、「神の名」において、教会派閥勢力が有してきた正当性の御墨付きを打ち消し、取り戻す形で即位したのである。

N氏にとり、これこそ、本心憧れる古代皇帝らしい威厳だったに違いない。

4

ともあれ、一時の思い込みや憤り、反発にも拘らず、B氏は、やはりN氏崇拝により、精神的な死から実際甦《よみがえ》れた。

彼自身、そうした救済過程は忘れられなかった筈。「楽聖」であり続ける事が、以後、日常人生そのものを成り立たせる条件だったのだから——。

甲斐有って、次々創作も進み、「傑作の森」と呼ばれる位、豊かな成果を得る。

中でも、N氏崇拝が見事結実したのは第五交響曲「運命」だろう。

私は第三交響曲——第二楽章の葬送行進曲に関し、B氏自身の仮想死（自殺）を弔う内容——と信じて疑わないが、逆に「第五」こそ、手放しのN氏讃歌——もう一つの「英雄交響曲」——と、はっきり認める。

そこはまた、N氏流儀をそっくり真似てみる事で、自身の生涯的信条——「苦しみを突き抜けて歓喜へ」が、見事体現できる場であった。

——ハ短調の第一楽章は、勧善懲悪型の凄まじい戦闘場面に準《なぞら》えられる。

過酷な運命——しかし、それは外側規模の話であり、むしろ悲劇性は薄い。

主人公は、周りから襲いくる猛者達を、最終的に皆やっつける底力と、有利さが天から保証され、自らもそう信じ、武骨・華麗に振る舞いつつ、次々、勝利を捥《も》ぎ取っていく。

第一楽章内、そうした創世神話的なドラマ演出性が非常に強い。

私が子供時分、聴き始めた頃抱いたイメージを、そのまま書き表すのは困難だが、既存名画に、「これは——」と思える最適モデルが有る。

一つは、文字通り「英雄崇拝」の肖像画で、ダヴィッド作。夜更け、軍服姿、荒々しい白馬に跨《また》がり、石ころだらけの急坂を進むN氏——アルプス越え（「サン・ベルナール峠を越えるボナパルト」）。

もう一つは、――こちらの方が生々しい――ゴヤ作「巨人」だ。

やはり夜、連なる丘を膝《ひざ》より下に置くような桁《けた》外れの大男。ずんぐり、筋骨隆々で体格逞《たくま》しく、しかし表情には憤怒と、一抹の憂いを漂わせ、やや下がり加減な視線が印象的。作者ゴヤにとり、祖国を侵略戦争で、容赦無く踏みにじるN氏への恐怖を描いたとも、はたまた、非道なN氏を打倒するため、ついに立ち上がった祖国の守り神――と、相反する両説が語られる。

いずれにせよこれが、当時、何かにつけヨーロッパ中、政治的話題を巻き起こした超大物＝N氏への反応という点で、燃え上がらせた創作心理は、B氏の立場に極めて近い。「運命」とは、何も被害者的状況を形容する場合に限らない。加害者となってしまった運命も、これまた孤独で辛《つら》いものが、「巨人」から窺えるのだ。

また、決して前段の厳しさを終始一貫させる必然は無い。天地が引っ繰り返る程激しい戦いを経て、何とか敵を蹴《け》散らし、その後、古里へ帰り、一生平和に暮らせたとしても、それはそれで一つの運命に他ならない。

第五交響曲フィナーレは、それこそB氏全作品の内、最も生き生きした「歓喜の歌」に値する。世の思想や理屈なぞ一切抜き。聴いていて芯から幸福な気持ちになれるのが、この第四楽章だ。

人々の姿も全然浮かばない。まるで、鮮やかに白く晴れ曇った休日の昼過ぎから、B氏の心に安全を保証され、山野の傍らで時間を忘れ、夕刻近くまで、風景と懐かしく対話し尽くせる心境――それらは昭和三十年代、我が家周辺で、ごく身近に見られる自然領域だった――。

ちなみに第五交響曲の「運命」なるタイトルは、曲風とぴったりつながる見事な命名だが、公式に最もよく定着してきた場所が、意外にもこの日本らしい事を最近、ようやく知った。〝B氏教国民〞として誇らしい限りに思う。

B氏の創作人生において「傑作の森」と呼ばれる時代は、名声高まり、押しも押されもせぬ中、崇拝するN氏との〝合体〞を、次々進めていく精神世界。

そこには第六――「田園」交響曲や、あの第七交響曲も含まれる。彼にとり、或る意味「音楽史の頂点」を極める至福の日々であった事だろう。

しかし、やがて五十歳代前半、次の転機が訪れる。

我々に察せられる程度も限られるが、もしかしたら、耳病発症した頃の苦悩より、もっと深刻な出来事かも知れない。

――N氏の死――。

こればかりは、幾ら鬼才に長《た》け、賢明、忍耐強くても打ち克てる相手でなかった。

かつて、自殺しか選択肢の無い耳病の絶望から這《は》い上がらせてくれた、只一人「新しき偶像」こそN氏だったから……。

伝記ではB氏自身、事実を知らされ、N氏の死に関し、言葉少なく感想を述べている。

以後、最晩年までB氏作品は、まるで約二十年間の「楽聖」生活を引退したかのように、迷いや、どこか濁った情念を背負う曲想へと変わるが、「第九交響曲」は、意識的な「最後の輝き」だろう。

そこに、もはや「希望」は見出せない。

「偉大な悲劇的序曲」さながらの第一楽章、挑戦的で反骨精神みなぎる第二楽章、遠く天国的風景を成す第三楽章――いずれも、恵み多かった過去を回想する感慨に溢れつつ――、やがて第四楽章へ至り、はっきり示された結論が、「歓喜」大合唱。

これとても、本来の彼らしい自然生命力と、かなり性格を異にし、途中からは、勢い任せでどんどん展開し、流され行く曲調――。

初めて、同曲を全部通して聴いた高校一年生二学期（暮れ近く）、私も思わずメモ用紙に、短い感想を書き留めた。

〈波瀾に満ちた生涯を、管弦楽のみで再現し終えた後、唄い上げられるこの最終楽章は、『長大な余韻』だろうか〉――。

只、現在、私は「第九」に込められた意義が、以前より深く読める気がする。

それは、やはりN氏に対する、過去からの尽きなかった憧れを有りのまま認め、改めて捧げ直した「N氏鎮魂歌」と考えられる。

そうした姿勢は、単なる個人向け感情でない。N氏登場や、目覚ましい改革・変化に象徴される「理性の時代」――「理想」は、この世に実在し、求め、努力すれば誰であっても必ず導かれる――と、多くの人々が心から信じられたあ丶の時代への祝福、そしてお別れメッセージだった筈だ。

第五部　純粋韻律と音楽

①

②

ここまで、お付き合いいただいた読者皆様に、感謝を込め、あとがきに代えて、拙《つたな》いながら私からも一曲、ぜひ……。

純粋韻律が「詩音楽」たり得る証《あかし》としてどうか？　——は、ともかく、或る程度、音楽メロディーと相性良さの目安になるだろう。

若干、経緯を振り返りつつ述べると、

——三十歳代前半。丁度、純粋韻律を発案し、まだメモ用紙いっぱい書き綴ったり、色付けを十分楽しめない「置き物」状態だった頃、一度試した活用例が、ここからの作曲である。

とは言え、一定文量の詩句を、シューベルト並みに曲付けする芸当は真似できない。

取り敢えず、何か四行詩的な素材を用意すべく、「かかり出し」部分として考えた文句は——、

グッシャラナーバット・ルースィンダーク

何やらインド西部湿地帯の「グジャラート州」を連想させる趣だが、閃《ひらめ》き任せで、先ずこの一行のみにメロディーを宛《あ》てがってみた（※前頁五線譜——上段①参照）——。

言葉リズム・響きの性格上、これが程良い出来に思えたところ、次に二行目の句をひねり出すより先、メロディー側で独り歩きする格好となり（※同——下段②参照）、後は然したるこだわりも無く、ちょっとしたピアノ小曲に仕立てられた。

巻末に、あくまで本書完成の記念的意味合いから、標題——「純粋韻律」と銘打って載せている。

残念ながら、拵《こしら》えた私自身、今以て当曲を、間違わずスラスラ弾く事ができない。大体、「ソナチネアルバム」初級程度の内容であろう。

どこかで聞き挿《はさ》んだ行進曲の焼き直しに過ぎないかも知れないが、出来上がって、はや二十年以上経つ。

本書執筆しながら先日、もしかして、かかり出し（動機）の音運びが、母校＝兵庫県立星陵高校の校歌に、少し似ていたかな？　——と思われた次第。


詩に関しては、過去、実作品よりも、第三者から寄せられる評論・解説が雄弁だったように感じる。

確かに詩は、立派な芸術文化である以上、鑑賞し、分かり易く広めるため、実作品の何倍も多く、文章で語る必要が出て来る。

そもそも音楽や絵画と比べ、日常手段（標準言語）を用い、非日常な事柄をも表さざるを得ない点が、詩の抱える矛盾や泣き所だ。

そこを、苦しみ尽くすのでなく、楽しみ尽くせるようになれば、もっと万人から愛され、詩こそ、社会を荒廃から守る「免疫機能」――と、見直される日が訪れるかも知れない。「純粋韻律」は、そんな希望へ向けた一案だが、私自身、今後共、与えられた機会に応じ、日本人らしい「詩と真実」を極めたい。

（おわり）

dim.
mp
Ped.
8
f
dim.
pp
p cresc
ff
sf
fp
dim
p
cresc
ff

（ピアノ用小曲）純粋韻律

Moderato risoluto ［♩ ＝112］　　　　S63.4作

主な参考文献

『人間ゲーテ』小栗浩著　岩波書店
『詩のたのしさ』嶋岡晨著　講談社
『〈中国詩選（3）―唐詩―〉』松浦友久著　社会思想社
『オペラの運命』岡田暁生著　中央公論社
『読んでわかる！　きいてわかる！　クラシック音楽の歴史　大人の音楽史入門』
　長沼由美、二藤宏美著　ヤマハミュージックメディア
『新潮美術文庫16ゴヤ』ゴヤ　新潮社
『続・照葉樹林文化』上山春平・佐々木高明・中尾佐助著　中央公論社
『稲作文化』上山春平・渡部忠世編　中央公論社

著者プロフィール
安本 達弥（やすもと たつや）
昭和30年２月10日生まれ。
兵庫県星稜高校卒業後、神戸市勤務。
昭和63年「日本全国文学大系」第三巻（近代文藝社）に短編を収録。
神戸市在住。

著書『公園の出口』、『裏庭』、『窓辺』、『泉』、『駅』、『純粋韻律』、『「裏」から「表」へ――愛（恵み・救い）――』（以上、近代文藝社）『人形物語――愛・恵み・救い――』、『曇りの都』、『当世具足症候群』（以上、文芸社）

本書は2008年に近代文藝社より発行された同名作品に加筆、修正したものです。

純粋韻律

2021年９月15日　初版第１刷発行

著　者　安本 達弥
発行者　瓜谷 綱延
発行所　株式会社文芸社
〒160-0022　東京都新宿区新宿１－10－１
電話　03-5369-3060（代表）
03-5369-2299（販売）

印刷所　株式会社暁印刷

ISBN978-4-286-22872-3